U0265968

水 的 再 利 用

周运祥　编译

黄河水利出版社

图书在版编目(CIP)数据

水的再利用/周运祥编译 .—郑州:黄河水利出版社,
2003.12

ISBN 7 - 80621 - 722 - 3

Ⅰ. 水… Ⅱ. 周… Ⅲ. 废水综合利用—案例—美
国 Ⅳ. X703

中国版本图书馆 CIP 数据核字(2003)第 087137 号

出 版 社:黄河水利出版社
　　　　　地址:河南省郑州市金水路 11 号　　邮政编码:450003
发行单位:黄河水利出版社
　　　　　发行部电话及传真:0371 - 6022620
　　　　　E-mail:yrcp@public.zz.ha.cn
承印单位:黄委会设计院印刷厂
开本:850mm × 1 168mm　1/32
印张:7.125
字数:177 千字　　　　　　　　　　印数:1—1 500
版次:2003 年 12 月第 1 版　　　　　印次:2003 年 12 月第 1 次印刷

书号:ISBN 7 - 80621 - 722 - 3/X·9　　　　定价:15.00 元

编译者的话

所谓水的再利用,就是对排放的污水及其他各种工业废水通过有计划的回收、处理,加以重复利用,而且往往都是直接应用。目前,人们在水的再利用方面的兴趣正在与日俱增,且增势十分迅猛。这主要有两方面的原因:一是人们日常排放的各种污水本身就是一种重要的水资源,尤其是在那些干旱缺水的地区;二是要将污水排放或"弃置"于江河湖泊,费用或代价越来越高,因为出于保护水生生物和一系列其他相关利益的需要,以及为了确保河流下游的用水安全,对污水的排放与处理条件的规定越来越严格。排放的污(废)水必须进行处理,而处理费用异常高,这就使得经过处理后的污水在当地消纳利用更具吸引力。

我国人口众多,人均水资源不足世界人均水资源量的1/4,水资源短缺问题越来越成为国民经济和社会发展的制约因素。因此,如何兴利避害,对水资源的合理使用和保护以及回收水的再利用进行更进一步的研究,让水为社会经济的可持续发展服务,是水利工作者新世纪的重要课题之一。

本人针对我国水资源保护以及水的再利用的现状和特点,经授权对美国自来水厂协会(AWWA)《水的再利用》进行了摘录编译。该译本收录了其中的19篇文章,以供国内从事水资源保护及从事其他水利工作的同仁参考和借鉴,如能对实际工作有所帮助,本人将不胜荣幸。

按照美国自来水厂协会的惯例,编译者基于出版要求勘校了文中的文理错误与矛盾之处,部分导言和结论标题按我国惯例作了删减。除此以外,未作任何改动或修饰,译文均忠实于原文。美国自来水厂协会对译文的准确性不予负责。

长江水利委员会图书馆提供原版书,杨明华、黄鹤鸣、杨曦绯负责全书的统校、审核定稿。在出版过程中,秦兆梅、周丽莲、梁敏、李静希给予了很大帮助。在此一并表示衷心感谢。

由于编译者水平有限,加之时间仓促,错误和疏漏在所难免,敬请读者批评指正。

编译者　周运祥

2003 年 6 月

目 录

1 与非饮用水回收系统有关的规划问题
（Salvatore D'Angelo）

在美国的一些地区,虽然利用经高度处理过的废水(回收水)来满足非饮用水的需要已经半个多世纪了,但对某些人来说,利用回收水仍然是一个新概念。此外,即使在利用回收水已多年的地区,对个别户主来说,利用回收水浇灌草坪也是一个新概念。

随着提供符合现代标准的饮用水费用的日益增加,对水回收系统的经济可行性的要求更高了。在美国的许多地方,在饮用水用于非饮用用途(如灌溉)已经受到限制的情况下,利用回收水将可能成为一种趋势。

根据其他工程经验所制定的工程规划,通常只能做到基本正确。对于水回收系统来说,尤其如此。这是因为各个工程具有各自独特的条件。饮用水的配水系统一般按通用标准设计,且往往受保险业规定的消防用水最小流量和最低压力的限制;而回收水系统则往往采用具体问题具体分析的做法来进行设计,以满足回收水供应商和回收水用户的特殊需要。

本文将对与非饮用水回收系统有关的一些关键性规划问题加以论述,重点探讨城市社区的回收水系统规划。探讨主题如下:

· 水质与水处理;

· 回收水的供需矛盾;

· 储水;

· 补充供水;

· 配水;

· 备用处理设施;

· 公众教育。

1.1 水质与水处理

1.1.1 水质要求

在废水再使用之前,对其进行适当的处理,是所有废水回收工程极其重要的一个环节。在对回收水进行处理和监测时,必须充分考虑人们对公共卫生的关注,同时还必须满足特殊用户的特殊要求。例如,商业用户或工业用户的要求可能不同于对公共卫生用水的要求。

1.1.2 回收水的水质标准

与饮用水不同,目前回收水的水质还没有国家标准。一些州已经制定了各自的回收水水质标准。这些州标准一般要求在消毒之前要基本上除去水中的悬移质。大肠杆菌总数通常是鉴定回收水中有无病原体的一项指标。

1.1.3 环境保护局(EPA)的导则

美国环境保护局最近以文件的形式发布了如下几份导则:

·《水的再利用导则》,1992,美国环境保护局

·《技术转让,EPA/625/R—92/004W》

一般说来,这些导则体现了在美国水的再利用必须达到最低处理水平的共识,回收水的处理水平视其用途而异。

1.1.4 水质规划问题

与水质有关的规划问题可以分为两个组成部分:技术要求和公众观念。这两个方面同等重要。在进行水回收工程规划时,必须对两个方面加以充分考虑。

与水质和水处理有关的技术问题,一般包括如下项目:

·州或地方标准的最低要求;

·水质监测;

·防止水处理后的水质下降;

·可靠性/备用部件;

·未达标的处理水的分流与再处理。

水回收系统的规划人员,除应熟悉对此类工程有管辖权的州和地方标准外,还应熟悉 EPA 导则和预测未来可能提出的其他一些要求。通常为未来设施作准备而增加的费用,同工程完工以后再增加一个项目所需的费用相比是很少的。

1.1.5　公众教育/试点—示范研究

当居民拟使用回收水时,公众教育极其重要。用户主要关注的问题是水质,他们想知道使用回收水是否安全。虽然在技术上可以信赖水质研究成果,但对要处理的特定废水进行试点或示范试验,仍是大有益处的。

介绍试点或示范工程的成功结果,是博取公众信任的极好方法。清澈无异味的回收水水样,在纠正"把污水喷在人们的地产上"的误传信息方面是大有帮助的。此外,试点或示范试验还可为回收水系统的最终设计提供有用的数据。

1.1.6　与地方媒体协调

同地方媒体协调进行宣传,是获得公众认可的有效办法。在工程初期,应花些时间向记者们详细介绍情况。在真实信息得以传播后,所规划的工程就可以在公众的支持下付诸实施了。

1.2　回收水的供需矛盾

1.2.1　供需均衡问题

水回收设施的水量随日、周、季而变。就需求而言,如果回收水的主要用途为灌溉,则需水量呈季节性变化:干旱季节需水达到高峰;而在多雨季节,需水量则显著减少。如果存在商业或工业用户,其需水量可能与其生产计划有关,在很大程度上可能呈季节性变化。

1.2.2　缓和需水高峰的步骤

在对水的再利用系统进行规划设计时,必须考虑供、需两方面的情况。此外,在用户协议中可作出一些限制性规定来缓和需水高峰。需水量大的用户可能愿意修建自己的储水设施,大量用水时,不从水的再利用系统取水,如高尔夫球场就是如此。这些用户通常将回收水不断地泵入储水池,需要时直接从储水池取用。

1.3 储水

1.3.1 日储水和季储水

在 24h 内,水的供需不均衡程度可能相当大。例如,在早晨的几个小时,流入废水处理厂的流量一般都比较小。如果回收水系统是为装有自动喷水器的居民服务,一般在这个时段喷水器是打开的。在这种情况下,如果废水流量最小,就会出现峰值需水量。为使供需平衡,需要每日进行储水工作。

季节性变化也可以通过储水加以解决。不过,如果需要 90d 甚至更长时间的用水量,对于储水设施规划来说,可能是不现实的。只有在土地不存在限制的地方,季节性储水才较为现实。

1.3.2 水池与水箱

明池既可作为日储水设备,也可作为季节性储水设备。明池的缺点是易造成水质降级。经过处理的废水通常富含营养物,藻类和水生杂草易于生长。经处理的废水储存在明池里,可能使悬移质增多。虽然从卫生观点来看,这不是什么大问题,但对某些用户可能产生操作上的问题,例如使用微喷射器灌溉设备的用户可能遇到喷射器被阻塞的问题。此外,如果藻类或水生杂草使水的颜色变得很深或气味变得很浓,从美学上说,会使人不愉快。加盖的水箱用做日储水设备,可以避免出现这种问题。

1.4 补充供水

另一种方法是采用补充供水的方式来满足高峰时的用水需求。在回收水的主要用途为居民灌溉时,水的再利用系统中,回收水的持续高峰需水量为年平均需水量的 $2 \sim 3$ 倍。通常的做法是只修建较小的回收水配水系统,使峰值供水量只超过具有日储水设备的回收水设施的供水容量。然而,这样做不能充分利用回收水,依然允许未纳入回收水系统的用户使用饮用水进行灌溉。

作为一种替代办法,一些公用事业公司修建较大的回收水配水系统,使用可饮用水或暴雨雨水来满足季节性高峰需水量。按年计算,达到了充分利用回收水替代饮用水用于非饮用用途的目的。这种做法解决了与季节性储水有关的一些问题,而且可以使更多的用户用上回收水。

1.5 配水

与回收水配水有关的一个问题是交叉接头的管理。其目的是教育公众正确地使用回收水,并在回收水设施上设计合理的防护装置,可以减少装设交叉接头。交叉接头管理,通常通过管路分开、颜色编码、标记带、装设合适的回流装置来实现。

回收水管路使用紫色似乎已成为流行的做法。采用回流装置时,都是将其安装在与回收水管道相通的饮用水设备上。应当指出的是,这种装置不能保护用户不受其个人设备上的交叉接头的影响。回流装置只是用来防止个人设备上的交叉接头造成对公用水系统的污染。

配水系统规划必须解决下列问题:

·保证用户的水压力多大?

·用户需要将回收水再加压才能使用其喷水设备吗?

·软管龙头可以使用吗?

·这种系统会被用于冲洗厕所吗?

·将采取什么步骤来教育用户正确地使用回收水?

·将采取什么防护措施来保证在回收水设施转让以后,新的业主(户主)懂得正确使用回收水?

·不管用户是否与回收水系统接通,所有用户的可利用回收水费用都进行估计吗?

·回收水用计量仪表计量吗?

·向用户收费是采用统一收费率还是按用水量计收费率?

1.6　备用处理设施

当回收水供过于求时,将多余的水引走是保证回收水系统可靠性的重要一环,对于没有季节性储水设备的回收水系统更应如此。

在回收水需要量小的时期,而且储水容量又得以充分利用以后,废水处理系统必须具备处理多余回收水的可靠设施,例如地面弃水、渗透池或专用喷灌场地。

在规划备用处理设施所需的容量时,应考虑备用水的排放时间以减少费用。例如,地面弃水营养负荷应按年估计。如果排放时段比较短,在技术上就不需要除去营养物质的高级废水处理设备。

当然,需要同管理机构密切协调,否则可能会要求公用事业公司修建一年之中只有小部分时间使用的高级废水处理设施。在这种情况下,经济方面的考虑可能会驱使公用事业公司采用"备用处理设施"方案作为多余回收水的主要处理办法。这就背离了在可能利用回收水的地方最大限度地利用回收水的宗旨。

如果喷灌系统只是短期使用,设计方案也可能有所不同。与每天灌溉相反,若是不经常灌溉,场地容量可能显著较大。因而,在规划回收水系统时,应考虑短期使用的影响。

1.7　公众教育

对于任何包括居民在内的水的再利用项目,应该实施公众教育计划,并持续地进行这种教育。许多运行回收水系统的公用事业公司雇用了向公众提供信息和反映有关回收水利用问题的专职人员。

如果在回收水利用不普遍的地区实施这种工程，需要采取更加广泛的促进方法博得用户的支持。应该准备各种各样的宣传材料，包括小册子、电视片、说明实际情况的印刷品等。通常，在一些出版物上刊登专用工程建筑物的具体情况的信息是有益的。

公众教育在任何水的再利用工程的初步规划中均应予以考虑。

2　饮用水再利用——水资源管理 规划中的重要组成部分

（Gary M.Bostrom,Brock McEwen）

2.1　概况

科罗拉多州斯普林斯市的城市用水需求,目前由当地各种水源来满足。这些水源发源于派克斯峰附近,以及从科罗拉多河流域和南普拉特河流域引来的穿山引水水源。这些水源已被该市利用了 100 多年,能可靠地满足城市供水系统的需要。本文论述了怎样利用已经开发的水资源回收水,用以满足该市直到 2042 年及之后的用水需求。

最新的人口增长预测和未来的需水量估计表明,到 2012 年,目前采用当地水源和穿山引水的供水系统将不能满足该市预测的用水需求。到 2042 年,该市需要增加供水容量,并增加饮用水配水系统的水源,以满足相当于约 15.7 万人口的用水需求。为此,必须兴建新的设施或采取相应策略予以解决。

通过回收从拉斯维加斯废水处理厂排到方廷溪的水以及其他经处理的废水,并采取适当的处理措施以供该市进一步加以利用。本文对此进行了可行性评估。

根据最新的估计,到 2042 年,该市水需求将再增加 10 万 m³/d,有足够多的水可供回收,供未来 50 年利用。如果扩大兴建回收水工程,还有可能满足下一个 50 年以后的用水需求。

将水回收方案同平行于现有方廷瓦利管道修建的新输水系统作比较。修建这些管道的目的是把上阿肯色河和附近的普韦布洛水库增加的水量分别输到该市,进行处理和分配。虽然在法律上可获得一些遥远水源的水权,但现在尚未进行输水系统规划。水回收方案是正在研究的、可满足一直到 2012 年长期水需求增长的惟一的方案,而无需修建从阿肯色河输水的输水系统。

2.2　水回收工程的目标

此处所论述的水回收工程,已根据各种制度、体制和技术标准的要求确定了一个初步方案。水回收得到公众的认可是关键,也是确定本报告提出的各个方案的处理工序的一个因素。为了确定水回收方案的经济可行性,基建、运行以及维护的现值成本将同其他方案进行比较。

同市府人员合作,CH2M HILL(公司)制定了能达到本研究目标的 9 个水回收方案。然后,根据已定标准,对 9 个方案分别进行了评估,并对其进行了排序。

市府人员和 CH2M HILL 采用 7 个筛选标准来确定 9 个水回收工程配置的相对顺序。所采用的筛选标准是:

· 水量损失(配置效率的指标);

· 输水;

· 水库与娱乐机会;

· 各组成部分分期实施的可能性;

· 运行的灵活性;

· 公众认可;

· 相对成本。

对 9 种配置进行定性和半定量评价,得出被确定的各组成部分的优先选用的配置。然后,优化优先选用的配置,以得到成本最少的回收水方案的配置,供市府人员参照其他方案加以确定。

2.3　研究结果

两个在供水数量和质量上最符合规划准则和成本少、效益高的配水系统被确定为可供选用的水回收方案。这两个方案分别称为 E-1 方案和 E-2 方案，以便同市府考虑的其他供水方案区分开来。

2.3.1　E-1方案

该方案是把饮用水直接从水回收厂输入终端储水池和配水系统，按全年和基本负荷运行，最终提供的水量为 10.6 万 m³/d（28Mgal/d❶）。为了满足夏季的用水需求，最高流量可达 25.5 万 m³/d。图 2-1 为拟在 2042 年投入运行的工程各单元示意图。

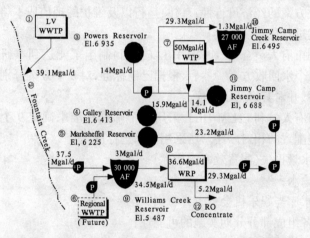

图 2-1　科罗拉多州斯普林斯市水回收评估 E-1 方案系统示意图

①—拉斯维加斯废水处理厂；②—方廷溪；③—鲍尔斯水库；④—加利水库；⑤—马克雪菲尔水库；⑥—地区废水处理厂（未来）；⑦—50Mgal/d 水处理厂；⑧—36.6Mgal/d 水回收厂；⑨—威廉姆斯支流水库；⑩—吉米坎普溪水库；⑪—吉米坎普水库；⑫—反渗透，浓缩

　　E-1 方案的水源是从拉斯维加斯废水处理厂排入方廷溪的经处理的污水。采用一座取水坝和一个泵站(位于拉斯维加斯废水处理厂以南约 26km 处)来取水，并把水泵送到威廉姆斯支流水

---

❶　1Mgal/d≈3 800m³/d。

库(库容 3 700 万 m³),拦蓄从方廷溪引来的水流,然后按照需求以均匀的流量把水供给水库附近的水回收厂。

水回收厂水处理包括下列工序:

·澄清;

·臭氧初级消毒;

·生物学活性炭过滤;

·微过滤和反渗透处理。

这些工序提供多重污染物拦截,以生产可靠的安全卫生用水。该水回收厂将分组件建造,扩大以后,到 2042 年可供给均匀流量 10.6 万 m³/d 的再利用水。

E-1 方案将于 2012 年开始供水,分期扩大直至 2042 年。2042 年以后,则可按扩大的容量供水,初步设计工作于 1996 年前开始。表 2-1 为 E-1 方案费用一览表。

表 2-1 E-1 方案费用一览表(1993 年价格)

费用名称	费用额(美元)
总基建费用	3.734 亿
总运行与维护费用	2.884 亿
总工程费用(50 年使用期)	6.619 亿
现值	2.372 亿
单位(AF)❶现值	2 066

2.3.2 E-2 方案

该方案与 E-1 方案不同之处是水回收厂位于威廉姆斯支流水库的上游。水库的水被抽到吉米坎普水库或北面的自来水厂。输送到饮用水配水系统的所有水都由自来水厂进行处理。图 2-

---

❶ AF 为灌溉用水的水量单位,相当于覆盖 1 英亩面积的土地至 1 英尺水深的水量,即 1AF = 1 233.5m³。

2 是拟于 2042 年投入运行的工程配置示意图。表 2-2 是 E-2 方案费用一览表。

从经济的角度来看,两个水回收比较方案基本类似。E-2 方案利用吉米坎普水库,把水输送到配水系统的途径多,运行较灵活,各个处理组成部分的位置也比方案 E-1 具有较高的娱乐价值。此外,预计公众也会认可 E-2 方案。

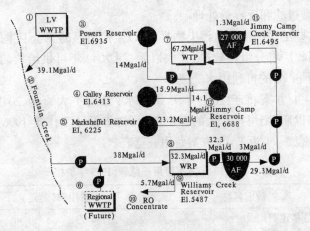

图 2-2 科罗拉多州斯普林斯市水回收评估 E-2 方案系统示意图
①—拉斯维加斯废水处理厂;②—方廷溪;③—鲍尔斯水库;④—加利水库;⑤—马克雪菲尔水库;⑥—地区废水处理厂(未来);⑦—67.2Mgal/d 水处理厂;⑧—32.3Mgal/d 水回收厂;⑨—威廉姆斯支流水库;⑩—反渗透,浓缩;⑪—吉米坎普溪水库;⑫—吉米坎普水库

表 2-2 E-2 方案费用一览表(1993 年价格)

费用名称	费用额(美元)
总基建费用	3.759 亿
总运行与维护费用	3.448 亿
总工程费用	7.208 亿
现值	2.446 亿
单位(AF)现值	2 131

3 亚利桑那州古德伊尔市废水处理利用的发展趋势
（Norm Fain 等）

3.1 现行的亚利桑那州水法

3.1.1 供水

纵观历史,人类历来在水源充足的地区生存、繁衍。水一直是所有文明最有价值的资源,因为对于所有生命来说,它是必不可少的。然而长期以来,人类活动对自然和自然水循环而造成的改变,已经严重影响了自然环境、水源和水的质量。这些改变包括兴修水坝改变水的最终目的地以及用水方式等。

在过去的几十年中,已经在亚利桑那州的一些含水层中观测到地下水位在不断下降。随着地下水位的下降,水质也在不断变差。这是由于人为改变了自然水循环而造成的。虽然所产生的改变并不全都是坏事,然而在这个州的一些地区,存在未经核实的各种环境问题的可能性。20世纪60年代后期和70年代初期该州出台了消费者保护法,并相应制定了若干供水计划。这些计划拟同清洁水法计划一起实施,以满足未来生活的需要和需求。

亚利桑那州有保证的供水计划源于一个土地欺骗案。在此案中,所出卖的土地基本上是无价值的——因为那里没有水,也没有水权。为杜绝类似情况的发生,该州通过了一部法律(要求土地卖主提交有待评估的供水是否足够的水计划)。在这种情况下,针对拟开发项目的供水是否充足,制定了3条准则(1973年法律),规定卖主必须证明:

·供水在100年内能得以保证;

·地下水位的年下降幅度不超过 3m；

·100 年以后,地下水位在地面以下的深度不大于 366m。

如果发现供水不足以满足上述准则,必须让土地的可能买主知道实际情况,并应就此拟订公开报告,以及把报告附在各种销售材料和出售该土地的合同上。

3.1.2 含水层管理

1980 年亚利桑那州通过了地下水法规。该法规增加了控制地下水超采和提供分配该州有限的地下水资源的方法等目标,以满足该州不断变化的水需求;该法规规定了不同的管理等级,以便对可能遭受不同程度的环境损失和经济损失进行补偿;该法规要求遭受损失的可能性最低的地区,根据原来立法中的三条准则,证明水是否充足;该法规将被认为地下水超采的可能性很大的地区分类为主动管理区（AMA）。主动管理区过去一直被定义为已经或正在经历着显著的年地下水位下降的含水层盆地。含水层被划分为主动管理区,并不意味着整个含水层都适合这种模式。在亚利桑那州有 4 个主动管理区,这些管理区在含水层盆地的各个部位均出现含水层的水位下降。这 4 个管理区分别为菲尼斯克、皮纳尔、普雷斯科特和图森主动管理区,如图 3－1 所示。各个管理区都存在含水层水位不下降的区域。事实上,这些主动管理区内的一些区域被认为是浸水的。这种含水层情况悬殊的原因为:

·表面水渗入含水层,有效地回灌了附近的区域;

·含水层盆地内地质岩层的变化,使得各个部位的孔隙率、输水性和导水性不相同;

·跨盆地水流流动;

·有来自盆地边界以外的深层含水岩层的垂直水流。

亚利桑那州水利局根据估计的含水层盆地的界限,规定了主动管理区的边界。古德伊尔市处在菲尼克斯主动管理区范围内,但它没有经历过地下水超采的情况。

一个主动管理区的供水是否有保证,通过如下 5 条准则确定:

·供水在 100 年内能得以保证;

·水质应满足亚利桑那州环境质量局制定的含水层水质标准;

·拟采用的水的用途必须同主动管理区的管理目标一致;

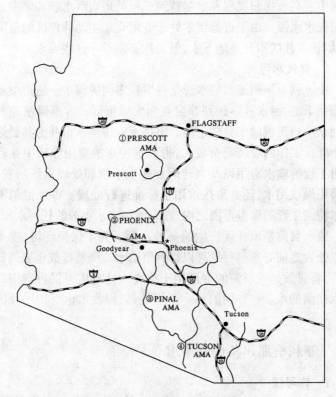

图 3-1 亚利桑那州的主动管理区

①—普雷斯科特主动管理区;②—菲尼克斯主动管理区;

③—皮纳尔主动管理区;④—图森主动管理区

·拟采用的水的用途必须同主动管理区的管理计划相一致;

·保证供水申请人具备建设必要的输水系统和处理厂的经济能力。

在这些标准中,证明拟采用的用途与管理目标一致的这条标准具有最大的经济影响。所有4个主动管理区的管理目标都包括限制地下水利用,说明替代水源可以而且将会被采用。这些水源包括中亚利桑那州工程和索尔特河工程的地表水水源和废水处理的回收水水源。由于古德伊尔处于菲尼克斯主动管理区的范围之内,尽管该社区不开采地下水,但仍然必须遵守这些要求。

3.1.3 替代水源

中亚利桑那州工程的水源是科罗拉多河的河水。通过中亚利桑那州渠道,河水被输送到菲尼克斯大城市区。古德伊尔拥有中亚利桑那州工程的水分配定额。但把水输送到该市并为其最终使用作准备工作的经济花费较大,得到这种水的费用包括中亚利桑那州工程的输水费用以及兴建附加输水系统和处理系统的费用。如果用做饮用水,还必须按饮用水标准进行处理。古德伊尔不在索尔特河工程的服务范围之内,没有该地表水水源的任何水权。

废水目前是该社区产生的一种水源。为了保护环境,废水在可以处置之前必须进行处理以得到清洁水。既然排放也要进行处理,可将排放处理所需的费用用于将废水处理成可供再利用即地下水回灌的水。这样做的另一个好处是,回收水也可用于社区供水。

3.2 亚利桑那州条例的要求

3.2.1 许可证

亚利桑那州的所有废水处理厂均被要求遵守回收水水质标准的导则。在规定专用回收水的水质参数的许可证中,附有此导则。目前对经处理的废水的处置方法包括:

·排放到国家管理的水道;

·有益的回收水再利用,包括灌溉、娱乐蓄水和工业应用;

·直接或间接把回收水回灌到含水层,作为贮存、未来含水层恢复或补充之用。

目前,亚利桑那州要求废水处理厂取得的许可证有 5 种。

·州许可证:

    含水层保护许可证(APP);

    再利用许可证;

    回灌和恢复许可证。

·联邦许可证:

    全国污染物排除系统许可证;

    503 淤积条例。

在亚利桑那州,含水层保护许可证是所有废水处理都必须取得的。凡回收水再利用,都得申请再利用许可证。如果再利用计划中包括含水层回灌,则必须申请回灌和恢复许可证。印第安人居留地则是例外,该州对其没有管辖权。因此,印第安人居住地只须申请联邦许可证。目前,联邦许可证中没有回收水再利用许可证或回灌许可证。

3.2.2　含水层保护许可证

1989 年发放的含水层保护许可证取代了地下水质保护许可证,是为了满足亚利桑那州环境质量法的各项要求而制定颁发的。许可证中规定了要保证经过处理的废水和固体物质不使含水层的水质降级,使州政府能按照州和联邦两级的许可证准则控制废水处理的最低标准。

一般说来,含水层保护许可证要求申请人保证该州的含水层免遭污染。首先,在废水处理厂的设计、施工和运行方面,可通过应用最有效的示范控制工序、运行方法和其他可接受的方法,使处理厂排出的污染物减少到最低程度。其次,所排出的水不得违反含水层水质标准的规定。

但含水层回灌或地下水贮存和恢复则是例外。申请人只须证明回灌水不会引起或造成含水层污染，违反含水层水质标准。这是因为目前用于回灌的地表水是合格的(满足含水层水质标准)。

采用含水层水质标准是为了保护人类的健康而制定的可接受的各种污染物等级。亚利桑那州含水层标准示于表3－1。

表3－1　亚利桑那州含水层水质标准

无机化合物污染物质	污染物限度（mg/L）	有机化合物污染物质	污染物限度（mg/L）
砷	0.05	三卤甲烷(总)	0.10
钡	1.0	1,1,1－三氯乙烷	0.20
镉	0.01	三氯乙烯	0.005
铬	0.05	乙烯基氯化物	0.002
铝	0.05	二甲苯(总)	10.0
汞	0.002	杀虫剂和多氯联二苯污染物质	污染物限度（mg/L）
硝酸盐(作为氮)	10.0		
亚硝酸盐(作为氮)	1.0	草不绿	0.002
总硝酸盐和亚硝酸盐(作为氮)	10.0	莠去津	0.003
硒	0.01	虫螨威	0.04
氟化物	4.0	氯丹	0.002
有机化合物污染物质	污染物限度（mg/L）	1,2－二溴二三氯丙烷	0.000 2
		二烯二溴化物	0.000 05
苯	0.005	七氯	0.000 4
C－四氯化物	0.005	七氯环氧化物	0.002
O－二氯苯	0.6	异狄氏剂	0.002
对－二氯苯	0.075	林丹	0.002
1,2－二氯乙烷	0.005	甲氧基氯化物	1.0
1,1－二氯乙烯	0.007	多氯酚	0.000 5
顺,1,2－二氯乙烯	0.07	毒杀芬	0.000 3
反1,2－二氯乙烯	0.1	2,4－二氯苯氧基乙酸	0.07
1,2－二氯丙烷	0.005	2,4,5－涕丙酸	0.05
乙基苯	0.7	放射性核素污染物质	污染物限度（pci/T）
单氯苯	0.1		
苯乙烯	0.1	总 α(氡和铀除外)	15.0
四氯苯乙烯	0.005	复合镭226和228	5.0
甲苯	1.0	年平均β和光子放射	4.0毫拉德当量/a

微生物污染物质：

　　根据 100mL 水试样中大肠杆菌的存在与否,在两个星期内出现任何两个阳性试样即判定该水水质违反含水层水质标准

混浊度	污染物限度
月平均	1*
连续两天平均	5

注：* 如果不做抑菌消毒处理,混浊度可以增大到 5。

3.2.3　再利用许可证

　　废水再利用是把回收的废水用于有益的目的,而不是将其排放到地表水水域。根据目前的法规回收废水和再利用可定义为：利用从处理地点输送到使用地点的回收废水而不将其排入该州的地表水水域,并符合所制定的水质标准(A.A.C.R18－9－701.1)的要求。

　　合理地把回收水用于植物根部或土层渗流区的同时,还可对回收水进行补充处理。废水再利用可以是完全消耗性的,即先作地表水利用,然后间接地作含水层回灌。不管是何种再利用方式,其目的都是有效地利用这种资源,以增加亚利桑那州的供水。

　　减少废水水流中的营养物质和有毒物质的再利用是典型的消耗性再利用。消耗性再利用意味着被利用的回收水全部被这一用途所消耗掉。理论上存在着将污染物保留在土层渗流区以减小地下水遭污染的可能性。为了保证减少污染物,作为一种处理过程,必须明确以下问题：

　　·每种作物或植物使用多少回收水；

　　·回收水用于何处；

　　·怎样应用这种回收水。

设计和管理废水处理系统必须拥有这方面的资料。为了保证

有足够的消耗性用途用来进行回收水所需要的处理,允许确定专用的作物、种植面积和作物轮作制。消耗性用途受许多管理因素和自然因素的影响。管理因素一般与自然因素有关,包括回收水供应、回收水水质、种植循环、作物和耕作方法。自然因素包括气候、土壤和地形。

为了保证所开发的再利用系统有效且持续时间长,必须知道水质和水量。水质必须符合所种植作物的特性。水流必须具有为作物所耗尽而不损害作物的特性。必须进行水量平衡,以确定回收水灌溉面积的大小,确定作物轮作制以有效地消耗回收水,以及确定有关蓄水池的大小。水量平衡应考虑产生的、再利用的、储存的、旁流的、蒸发的、漏掉的水量以及降水量。

废水再利用的典型形式包括农业和观赏植物灌溉、牲畜用水、娱乐用水和工业用水。表3-2列出了回收水再利用的现行许可限制,可细分为以下情况。

·果园:观赏树和结果树。

·纤维籽和饲料:纺织原料植物,例如棉花;牲畜饲料植物,例如苜蓿。

·牧场:供牲畜生活的天然草。

·牲畜用水:供牲畜消耗的水。

·供加工的食物:作物,例如供做番茄酱或罐头的番茄。

·限制进入的风景区:公众进入受控制的经美化的区域,例如用栏杆围着的基地或机场跑道。

·开放进入的风景区:向公众开放经美化的区域,例如城市公园、学校球场或高尔夫球场。

·可生吃的食物:与回收水接触的作物,例如胡萝卜、土豆或洋葱。

·公众的偶然接触:允许公众进入的休闲湖,例如在湖上划船。

·全身接触:允许游泳的休闲湖。

对再利用水作循环再利用时,每次应严格控制所要求的水质标准。

表3-2 专用再利用许可证的允许限度

参数		果园	纤维籽和饲料	牧场	牲畜用水	供加工的食物
pH值		4.5~9	4.5~9	4.5~9	6.5~9	4.5~9
粪便大肠杆菌(CFU/100mL)	几何平均数(5次试样最小值)	1 000	1 000	1 000	1 000	1 000
	单试样不超过4 000	4 000	4 000	4 000	4 000	2 500
混浊度(NTU)						
肠病毒						
痢疾内变形虫						
贾第虫属兰氏鞭毛虫						
蚯蚓状蛔虫						
普通的大带状蠕虫				不易发现的	不易发现的	

参数		风景区		生食食物	人们偶然接触	全身接触
		限制进入	开放进入			
pH值		4.5~9	4.5~9	4.5~9	6.5~9	6.5~9
粪便大肠杆菌(CFU/100mL)	几何平均数(5次试样最小值)	200	25	2.2	1 000	200
	单试样不超过4 000	1 000	75	25	4 000	800
混浊度(NTU)			5	1	5	1
肠病毒			125/40L	1/40L	125/40L	1/40L
痢疾内变形虫				未发现		
贾第虫属兰氏鞭毛虫				未发现		
蚯蚓状蛔虫			未发现	未发现	未发现	未发现
普通的大带状蠕虫						

3.2.4 地下贮水和含水层恢复与回灌项目许可

非消耗性再利用或者用于未衬砌的观赏和娱乐性蓄水池,将导致对含水层间接或直接的回灌。间接含水层回灌是多余的灌溉水渗入含水层的结果,这一般发生在灌溉水量超过植物能消耗水量的情况下。直接回灌系通过渗透或直接注入而无任何灌溉植物的意图,其结果是使含水层水量增加。回收水流经渗透区,渗透区可能起附加的处理作用。试点研究表明,在理想的条件下,可以很快减少病毒和病原体。在某些情况下,可以起到去氮和减少挥发性有机物的作用。

为了恢复地下水,用回收水回灌含水层即地下贮存,是直接增加含水层水源的一种形式。当回收水用于这种目的时,处理后的废水必须能满足含水层影响点的水质标准。这就是说,回灌到含水层中的回收水不会引起或促使含水层水质降级。表 3 – 1 列出了亚利桑那州的含水层水质标准。

3.2.5 许可证概要

亚利桑那州由于各种原因采取废水再利用来增加含水层的水量。表 3 – 3 列出了这些原因及其所要求的州许可证。根据现行的法规,要求申请联邦淤泥许可证。如果把回收水排到亚利桑那州的水域,或者回收水用于灌溉是在 25 年(指 25 年一遇洪水)洪泛平原的范围内,还要申请全国污染物排除系统许可证。

表 3 – 3　回收水用途和许可证

用　途	许　可　证
消耗性灌溉	含水层保护许可证、再利用许可证
地表蓄水	含水层保护许可证、再利用许可证
有意间接回灌的灌溉	含水层保护许可证、再利用许可证、回灌许可证
通过水井或渗透的直接回灌	回灌许可证、含水层保护许可证
为了贮水和复得所进行的直接回灌	含水层保护许可证、回灌许可证、贮水和复得许可证

注:亚利桑那州水利局可以另外要求的许可证包括注入井许可证和复得井许可证。
　　如果再利用或回灌活动处在 25 年洪泛平原内,还要申请全国污染物排除系统许可证。

3.3 古德伊尔市废水再利用潜力

古德伊尔市目前居民区和农业耕作面积约 $194km^2$,居民约 10 000 人。居民区有高尔夫球场和绿化娱乐带,该市其余部分是耕地或休耕地。该市的长期计划是最大程度地利用它的所有资源,这是现实可行的。其中一项主要资源是社区产生的废水,古德伊尔市计划利用这一资源且不再增加他们的这种"水"资源,并满足亚利桑那州水利局提出的以经济上可行的方法提供可靠产水量的要求。经过处理的废水的处置目标是在 1996 年以前实现零排放。

在古德伊尔市还是一个社区的时候,已经利用回收水在当地经济作物的耕地上和高尔夫球场上进行消耗性灌溉。随着社区的发展和回收水生产开始超过该社区固有的消耗能力,古德伊尔市可以直接地和间接地利用回收水进行回灌。当该市通过这种过渡而得到发展时,回收水也可储蓄起来供娱乐之用。当社区比较小、负担不起大型处理系统费用时,这种途径允许以经济的方式使用回收水;同时,使社区的含水层得以保护,免受污水污染,以供子孙后代利用。

目前该市废水再利用基本上有 5 种用途:城市再利用、工业再利用、农业再利用、娱乐再利用、为了恢复地下水而进行的地下水回灌。

城市再利用包括将回收水应用于非饮用的各个场合,如公园、学校运动场地、公路的中间区和两侧、高尔夫球场、一般的商业用途、防尘、消防,以及商业建筑物与住宅周围的美化区。就古德伊尔市目前的土地使用程度和发展潜力来看,如果谋求发展,该市处于实施这些策略的理想位置。随着该地区的发展和为社区服务的公共事业设施的兴建,提供回收水供该市周围区域使用的系统,可以作为发展需要的一部分来建立。其效果就开发者来说,就是再利用水的配水系统可以与一般的水系统和下水道系统相同的方式进行安排。这使得古德伊市处于明显的有利地位：如果与其相邻的菲尼克斯市相比，后者必须更新设备以实现对这种回收水的利用。

工业方面的废水再利用可以采取两种基本形式。一是工业设备可以收集其本身的废水，加以处理并重新利用。这对于水质要求不必同饮用水水质一样的用水大户来说，可能效益成本比较高。二是废水由城市的废水处理厂进行处理，然后以回收水再利用的价格回售给工业用户。工业再利用的一般用途包括蒸发冷却水、锅炉用水、生产过程用水和设施场地灌溉用水。第一种形式可通过城市预处理计划来实施，这种计划可以提供具有吸引力的条件，促使用水大户处理其废水并加以再利用。第二种形式可以通过开发者兴建配水系统和以能同饮用水价格竞争的具有吸引力的再利用价格出售回收水的方式来实施。

废水再利用在农业方面的用途是目前该市最流行的，但也是最难于利用的。1996 年以前难以达到城市零排放的目标，其原因包括农业社区普遍存在下列情况：

·以拟定的价格向农业用户提供现有的地表水；

·古德伊尔市在靠近河床处有一个浅的地下含水层区，使得抽用井水成为可负担得起的取水方式；

·农业需水量直接受天气、种植作物和作物生长期变化的影响。

由于这些情况，古德伊尔市的废水在农业方面的再利用，是达到零排放目标的可行的补充方案，但不是惟一的解决方法。

古德伊尔市的废水在娱乐方面的再利用包括蓄水、生态环境的恢复和明渠雨水水流系统的保持。

蓄水是典型的人造水体，其服务项目从划船与高尔夫球场到商业水池与喷泉的美学目的。蓄水环境（由于公众接受、卫生和费用等问题不适于回收水的再利用)包括钓鱼场所和鱼池。

生态环境恢复包括湿地和湖滨区环境的恢复。

地下水回灌是回收水再利用最具争议性的方法,同时也是回收水再利用最可行的方案之一。地下水回灌有两种基本形式。间接回灌系利用回收水的一种方式。在亚利桑那州,间接回灌的主要问题是,人们只相信回灌能取得含水层水量的有限增加。因此,间接回灌不具有吸引力。直接回灌系有意地通过渗透或注入井系统,把回收水引到含水层。在古德伊尔市,这种做法服务于下列目的:

·补充含水层,减少或防止地下水位下降,并控制可能的地面沉降。

·贮存回收水供未来地下水恢复和应用。在亚利桑那州,一部分水回灌到含水层可使水源得以保证。

·就以上谈到的两个目标中的任何一个来说,水流通过土层的浸透区使得回收水能得到进一步的处理。

古德伊尔市的含水层回灌只在希拉河地下水流引起含水层水位抬高的不同区域可行。当含水层从丰水向欠水过渡时,含水层水面向西北方向下倾。该社区北部三分之一的范围内,存在允许采用回灌来减少社区含水层水位下降的可能性的一些区域。此外,随着人口的增加,含水层回灌为社区的更多人口提供了有保证的水源。

3.4 古德伊尔市废水再利用所要求的处理

3.4.1 **古德伊尔市的计划**

古德伊尔市废水处理总规划是根据预测的最终建设规模所估计的平均流量(8 万 m^3/d)制定的,是基于第 157 大街废水处理厂的 $132km^2$ 服务区预测人口密度和土地使用情况而得出的。古德伊尔市范围内另外 $62km^2$ 的区域,由于实时控制管理,已处于规划过渡阶段。

随着经济的迅猛发展,该市很快就会在菲尼克斯大城市区的发展中处于理想地位。这种优势地位是下列情况奠定的:

·该大城市区的南部和东部目前正在发展,西部和北部则没有这种边界条件。

·古德伊尔市沿公路约 30min 的行程即可到达菲尼克斯市商业区,这使得古德伊尔市同其他大城市区相比,具有两个明显的优点。居民住宅远离大城市的拥挤区和喧闹区;由于有高速公路,从古德伊尔市到大城市区中心的时间比到东部和南部大城市区的短。

·位于该服务区北部的一个高级住宅区,正在吸引中上等和上等收入的居民开始入住。

当社区为未来的发展积极地作规划时,以环境上安全和经济上合理的方式发挥其资源潜力。这种做法包括两个目标:有保证的供水和保护环境免受污水污染。在亚利桑那州,两个目标紧密结合,以致往往按一个目标来评价。出于这种考虑和促进扩大水源利用的亚利桑那州水法的要求,古德伊尔市将其保护环境免受废水污染的解决办法视为保证供水的解决方法的一部分。

目前的规划首先要实现下列关键目标:

·提供该地区所产生废水的经济且能保护环境的处理方法。

·通过控制水权和扩大水源,取得对该地区发展的控制。

·创造能吸引开发者到该地区进行开发和最终促使该地区发展的环境。

从废水处理的观点来看,保护现有水源,不论过去还是现在都是必须满足的首要准则。该市对这种考虑的评价,认为是满足条例要求的、适用于现在和未来的处理方法。包括对下列各项的评价:

·提供生物学处理的二级处理工艺。

·满足"有益的消耗性再利用和可能的未来回灌条例"的高级处理工艺要求。

·不仅控制病原体和病毒,而且减少污染含水层的有毒物质,形成可能性的消毒工艺。

·减少病原体和控制污染物传染媒介分布的固体物质处理。

·根据社区的负担能力逐步添置水力设备,分期扩建处理厂至拟建规模。

从扩大水源的观点看,回收水的再利用,过去和现在都是必须满足的主要准则。该市对这种考虑的评价,认为怎样再利用回收水,将影响满足现行的和未来的处理要求以及有保证的水源需求。这包括对下列各项的评价:

·消耗性利用用途和要求。

·含水层间接回灌和直接回灌用途及其要求。

这些评价使各种目标密切结合,使第157大街废水处理厂得以分期扩建。这是由于通过废水在社区的各种再利用可以获得处理效益,可通过废水再利用直接扩大水源给社区带来附加效益。评价结果表明,可通过下列途径实现这些目标:

·在社区发展的初期,采用常规的二级处理处理后,再进行三级过滤的处理方法,可以达到废水处理和扩大水源两个目标。这将通过回收水的消耗性再利用来实现。

·当废水流量开始超过该社区现有消耗性用水量时,为了使地下水将来得以恢复,将回收水用于含水层回灌。这将要求有先进的处理工艺,以减少污染含水层的可能性。

通过这种评价,根据长期的规划目标,可以确定扩大通气活性淤泥法是最经济可行的二级处理方法。主要理由是它具有灵活性,为了满足未来处理要求,可以进行改装和改进。起初,当消耗性再利用有效地消耗回收水时,污染物通过这种用途的完全吸收而被控制。通过把这种方法从常规的扩大通气发展到改进的扩大通气完全混合的方法,以后就可以扩大处理能力,即在容积较小的处理池内就可以处理更多的废水。当消耗性再利用消耗不了社区产生的废水时,可以较轻易地把这种方法加以改变,以提供生物学的营养物除去功能。亚利桑那州最受关注且需控制的营养物是氮。古德伊尔市计划通过四级生物学方法除去氮,水池分隔在初期建设阶段即已完成。

除采用生物学方法除去营养物外,当主动进行回灌时,消毒设施不得把有机前驱物(一般是易挥发有机物)变成三卤甲烷。三卤甲烷是致癌物质,不得进入含水层。这种消毒设施通过紫外线照射消毒,控制三卤甲烷,成本低,效益高。然而,只要回收水可用于消耗性目的,氯化作用总是最经济的消毒形式。但氯化或脱氯的化学费用很高,而紫外线消毒才是较为经济的。发展初期使用的氯化设备将重新安装在未来的重复循环工序中,用做过程控制。因此,现在购置的设备在将来均有用。

一旦易挥发的有机物不能从重复循环水流中除去而不能达到满足含水层水质标准的程度时,可以增加两个附加的处理工序来解决这一问题。在第三级过滤工序的上游提供化学凝结或絮凝,以增加凝固颗粒,更容易将其除去。在第三级过滤工序的下游提供粒状活性炭,用做有机吸附不能有效地从水流中过滤掉的可溶有机碳的媒介。然而,如果土层含水层处理能去掉水流中易挥发的物质,那么,在处理中既不需要化学凝结或絮凝,也不需要粒状活性炭。

3.4.2　消耗性再利用

回收水的消耗性再利用是以把回收水中所有成分全部消耗掉的方式来使用回收水的。一个典型的例子是灌溉作物。在灌溉实践中,只把作物能消耗的水量应用于作物。作物消耗包括回收水中的液体、有机物和无机物。这些物质都必须对作物有益,而不能有其他将对作物造成损害的物质。对于一个真正有效的消耗性再利用计划,废水处理程度和作物选择必须匹配,要保留回收水中作物都需要的物质。这就是说,废水处理必须把作物不能消耗的物质通通去掉,否则,将对被灌溉的作物造成损害。此外,被灌溉的作物必须同回收水中的物质相容。消耗性利用的第二种形式是衬砌娱乐、装饰或牲畜用水等用途的蓄水池。此种形式要求不允许渗漏,回收水用量不得超过需要水量。

目前,古德伊尔市服务区产生的废水流量可以采用消耗性的方式来利用。现有的高尔夫球场和经济作物能利用产生的全部废水。这使得处理工序不怎么复杂,因为植物可消耗污染物,使污染物远离公众和水体。该市的回收水再利用有两种基本类型,即"限制接近"和"允许接近"。

"限制接近"的消耗性再利用回收水是用于人类接触回收水受到控制的地方。这就是说,把人类直接或间接与回收水的污染物接触风险控制到试图排除这种风险的程度。这种用途的处理要求对回收水进行二级处理,但接近使用回收水的现场和所生产的产品是受限制的。处理必须把使用时不能消耗的所有无机物除去。一般说来,这意味着二级处理必须足以消除含有无机有害物的水流通过净化堰的可能性。经二级处理合格的回收水中所含有的大多数有机物,能在回收水使用中被消耗掉,或以可接受的方式被转化。亚利桑那州"限制接近"再利用用途的例子有监狱围场、公路中间区和地下植物根灌溉等。

"允许接近"的消耗性再利用用途限制程度不同于"限制接近"的消耗性用途,后者可能存在污染物。因此,"允许接近"的回收水处理要求水平限制更严格。在亚利桑那州,除了进行二级处理外,还要进行对过程起支配作用的三级过滤。其原因是:悬浮物质控制标准是回收水中存在的有害病原体的限制性直接指标。除过滤外,还应提高消毒水平,使回收水中病毒存在的可能性较小。"允许接近"的再利用回收水常用于包括高尔夫球场、商业美化区、装饰性水池、公园和学校周围的场地。

3.4.3 直接或间接回灌

在亚利桑那州,为了扩大水源,常对含水层进行回灌。含水层回灌水量的多少是很重要的,这是因为回灌水量多可树立水源有保证的信心。也就是说,如果把回收水存放在含水层中,其中的一部分可供将来使用。在主动管理区,亚利桑那州政府要求回灌到含水层的一部分水量留给将来使用,其比例为 5% ~ 15%,具体视情况而定。回灌的目的是试图扭转含水层水位下降的趋势。间接回灌系指回收水的计划用途不致消耗水量,用过之后,经过渗透区达到含水层。间接回灌的例子包括作物超灌或未衬砌蓄水池的漏水。从预计前景来看,水量对用户很重要,而间接回灌不是对这种资源的有效利用。如果可能性得以证实,消耗的饮用水最多 5% 可能间接回灌。直接回灌是把水直接引入含水层,回灌的主要方法有二:一是通过渗透,二是通过井注。

渗透回灌是把回收水浇在地表面,通过土层渗漏和渗透,回收水从地表到达含水层。在间接回灌活动中,这种作用是在作物的根区或未衬砌蓄水池底部发生的。在亚利桑那州,直接回灌一般把河床和渗透土层作为渗漏和渗透的手段。理想区域应具有下列特征:

· 允许水快速输送的土壤孔隙率和粒径;

· 不存在限制水流到含水层的底层;

· 具有吸附微量元素和重金属的能力,兼有创造微生物分解有机物的环境能力。

渗透方法的明显优点是水从土层到含水层存在处理的可能性,使回收水水质从浇水面到达含水层的过程中得以改善。一般来说,这意味着如果土层改善了水质的回收水抵达含水层之前能满足或超过含水层出水点的水质标准,那么,就可以免去处理设施在地面以上的处理工序。业已证明,土层含水层处理系统可以减少满足含水层水质标准的回收水处理费用达 40%。然而,在亚利桑那州,这种最低要求是二级处理。处理要求的一般导则与含水层的水质标准和回收水的最终用途密切相关。附加处理要求可能包括脱氮、减少挥发性有机物、减少微量元素、控制混浊度和三卤甲烷。

直接注入是指把回收水直接泵入土层的地下水区,一般用于水文地质条件不利于渗漏和渗透的地方。对注入来说,要求的水处理比渗透系统严格得多。回收水离开处理厂时,其水质必须满足或超过含水层水质要求。控制系统必须满足或超过含水层水质要求。控制系统必须处于这样一种水平,以保证一旦设备出现故障,即水质出现问题,处理设备排出的水流则可旁流到另外的目的地,而决不会注入到含水层中。

不管扩大水源系统的回灌类型如何,必须满足的最低标准是:

·回收水的水质必须满足含水层的水质标准要求;

·回灌行为不得引起财产损失或受土层水量增加造成对他人的损害。

3.4.4 现阶段的扩大项目

目前正在进行的扩大项目是容量为 7 950m^3/d 带三级过滤的扩大通气活性淤泥设备。二级处理池设计成能变换工序的,以满足最终工序对用生物方法除去营养物质的需要。设置三级过滤,以满足"允许接近"回收水再利用的各项要求。因为回收水的用途都是消耗性的,目前消毒采用氯化方法,以使含水层中三卤甲烷存在的可能性在理论上为零。最终的营养生物学除去法工序所需要的附加二级池容积,目前作氧消化之用。这就允许该设施固体物质最终处理设备的布置推迟到以后人口基数较大的时候,而费用使用时间也可推迟,以便由更多的用户来承担。

从目前的发展规划(正在市里立案)看,古德伊尔市能持续这种处理计划的处理容量最多达 2.66 万 m^3/d。这主要是根据规划区规划的或现有的高尔夫球场的情况来假定的。在亚利桑那州中部和南部平均每个高尔夫球场(共 72 个)的需水量为 3 800m^3/d

(年日均需水量)。

下一步计划是通过将常规的扩充通气工艺变成改进的扩充通气或完全混合活性淤泥工艺的小小改变,把通气池空间尽量减小。规划中的这种改变,减少了建设费用,增加容量 8 000 m^3/d。

3.4.5 下一步的规划工作

该社区目前的规划工作开始把重点放在长期规划水源恢复问题的未来回灌上。古德伊尔市正在调查社区周围可能回灌的含水层。这种含水层的标准目前正在研究和制定。下一步规划工作的主要目标是从所选的回灌含水层中确定两个主要的可能含水层:

·确定在平均以年为周期的期间,通过渗滤地层可回灌的回收水水量;

·确定各回灌现场利用土层进行处理的可能程度如何,以便确定第 157 大街废水处理厂可能需要什么样的附加处理。

除了这些主要目标外,本项分析还应确定回灌系统的其他关键因素:

·回灌活动对当地含水层特性的直接影响;

·回收水与含水层中天然水相互混合的程度;

·从含水层系统各个部位复得水量之前,回收水在含水层中的持续时间;

·在恢复水量时,含水层的水质状况。

下一阶段规划的理想目标将打算证明:由于采取回灌和恢复措施,含水层的水质和水量均将提高。如果达到了这种效果,该市的初级处理设备将布置在水循环的废水一侧,另一侧只要求布置用做饮用供水的消毒设备。最坏的情况将要求从含水层取水必须进行附加处理以达到饮用水水质标准。这种情况不会比目前对用做饮用水的地表水所需求的水质差。用回收水扩大现有水源的好处是:无需兴建利用公众接受的地表水水源所需的大规模输入系统,即可实现扩大水源的目标。

4 塔拉哈西市农业水再利用体制
（James H. Peters 等）

塔拉哈西市是百分之百再利用回收水的为数很少的几个城市之一。从 1966 年开始,汤姆·史密斯先生在 6.4 万 m^2 的土地上,做用处理过的废水灌溉农业物试验。到目前为止,塔拉哈西市用处理过的废水灌溉的耕地已扩大到 810 万 m^2,不再将其排入地表水域。不管是雨天还是晴天,该市每天的灌溉用水量约 6.5 万 m^3,并不采用备用处理办法,而只需在寒冷或异常多雨天气期间,把水临时储存在容积为 38 万 m^3 的储水池内。

塔拉哈西市是把回收水用于农作物生产的先行者。自 1966 年以来,佛罗里达州在农业方面的水再利用量,约为全州再利用水总量的 30%。

该市把东南农场的耕种工作包给佛罗里达州的 Pascua 公司。Pascua 公司进行所有的农业生产和农产品销售工作,并保留出售谷物、大豆、黑麦草、干草和家畜等农产品所获得的全部利润。以前,他们把收入的一部分交给市里;1993 年后,这种做法被改变。

4.1 废水再利用协议

塔拉哈西市公司(以下称市公司)和 Pascua 公司双方于 1989 年 5 月 17 日签订协议。这是 Pascua 公司耕种市管辖土地的第二个协议。第一个协议于 1981 年 2 月 11 日签订,1989 年 9 月 10 日期满。该协议自第一个协议期满之日起生效,但协议中特别规定的内容除外。

该协议属相互盟约,所包含的是双方意见一致的内容,目的是利用市废水处理厂处理过的废水,用最实际可行的耕作方法进行农业生产。主要考虑的是保护地下水、处理过的废水的处置、取得最高的作物产量以及相互有利。为了达到这些目的,保持全年主动地进行作物生产,还必须符合州和联邦相关的法律、法规、规则、条例和许可证的所有要求,以及与喷灌和保持地下水水质有关的其他适用的限制。在该协议中,"作物"一词系指为了广泛追求利润而生产和收获的动植物产品。

4.2　协议内容

从 1989 年 9 月 11 日开始,为期 8 年,市公司向 Pascua 公司转让和出租有关资产。如果市公司在该场地有另外的灌溉土地投入使用,那么,Pascua 公司也将根椐本合同的条款利用这些土地从事农业生产。

4.2.1　管理委员会

双方认为,在利用经处理过的废水灌溉农作物时,不得违反环境辐射局(DER)的法规及其所颁发的运行许可证的规定,并执行由其批准的地下水监测计划,不得与其相抵触。包括 Pascua 公司、市公司以及两方认可的作为第三方的管理委员会,至少每季度(必要时更频繁)开会讨论与作物、作物轮作、肥料应用、回收水应用、营养负荷,以及与地下水情况有关的喷灌现场的管理问题。讨论目的是协调作物(包括作物种植和作物轮作)和营养负荷的管理,以便 Pascua 公司可以根据其提供的数据,修改农事管理计划,以达到本协议的目的。市公司和 Pascua 公司将继续进行并鼓励进行达到施肥量最少而作物产量最高这种理想目的的研究。管理委员会将建议化肥最大限度的利用率,以保证地下水硝酸盐浓度小于 10mg/L(规定浓度),Pascua 公司将受这种建议的约束。

Pascua 公司只使用在佛罗里达州环境保护局和农业部门注册的杀虫剂、除莠剂、杀线虫剂、杀真菌剂和防鼠剂,而且必须按照农业管理惯例、条例限制和制造厂家的应用说明来进行。业已证明

Psacus 公司是以上这些药物的诚实用户。在过去 8 年,地下水中没有发现杀虫剂。市公司将继续监测地下水,并在每个季度的会议上向管理委员会提交监测结果。管理委员会将审查这些结果,并采取措施,保证符合相关的法律规定。

市公司将向 Pascua 公司和管理委员会公开可能影响管理上述各项的所有记录、试验结果和信息。

4.2.2　农业生产设备

收割机及其附属设备在出租期间,由市公司向 Pascua 公司无偿提供。Pascua 公司将按照市公司向它提供的运行和维护手册,负责使用收割机和对收割机及其附属设备进行维护。正常例行维护以外的大修费用将由市公司承担。市公司每隔 30 天对上述所有设备进行一次检查,并提出 Pascua 公司在维护方面需做某些改变的建议。对于由 Psacua 公司进行的维护,一旦市公司和 Psacua 公司之间出现争议,双方应向收割机生产厂家说明情况,由他们对这种争议作出有约束性的决定。在租期结束时,收割机、卸料机等应完好(正常使用情况下造成的磨损和产生的故障除外)归还市公司。所有使用收割机和有关设备的公用事业公司应对 Pascua 公司负责。

Pascua 公司只能在租用场地上使用收割机对所生产的作物进行贮存作业,除非双方另有协议规定这种用途的条款。

市公司在场地的入口处提供容量足够的卡车称重设备,以便给进出出租场地的卡车和作物计量重量。

4.2.3　回收水设备和喷灌计划

市公司应拥有、运行和维护现场所有回收水抽水设备和灌溉设备。市公司有权接近中心枢纽其他喷灌设备以及监测井,不受限制地从事维护和运行工作。市公司在维护运行中,应注意尽量减少对作物的损害。如果 Pascua 公司在作业中损坏了市公司的自转喷灌设施或其他喷灌设备,市公司应予以修复,而 Pascua 公司应支付修理费。自转喷灌设施应按照制造厂家的技术说明书，采用最佳的切实可行的耕作方法进行维护和运行。在每周的星期四，Pascua公司应向市公司提供下周（周一到周日）拟进行灌溉的书面计划。在星期五下班之前，市公司应书面通知Pascua公司，根据预计的水力、环境和运行等情况对其下周的灌溉计划进行修改，而且将根据实际的水力、环境和运行情况，还可能对该计划作进一步的修改。如果提交的计划和拟作的修改符合环境辐射局的运行许可证的规定，而且将采取恰当的管理与运行措施，市公司将按照所提交的计划及拟作的修改进行灌溉。在预定的喷灌时段，如果Pascua公司由于耕作作业的需要想改变喷灌计划，那么，这种需要一被确定，Pascua公司就应立即请求修改喷灌计划，而市公司将尽一切努力来满足这种要求，当然计划的修改应符合环境辐射局颁发的运行许可证中的规定，同时管理和运行措施到位。如果在预定的喷灌时段内，市公司必须修改喷灌计划，需提前48h通知Pascua公司，如果在周末提出修改，则需提前72h通知Pascua公司。一旦设备出现故障，市公司可以修改灌溉计划来适应水力负荷。市公司应尽一切努力同Pascua公司一道工作，以减少这种修改对耕作作业的影响。检查现场以后，需要修改计划时，应对计划进行紧急修改，并尽快通知Pascua公司。

4.2.4 灌溉设施维护与故障处理

东南农场拥有国际公认的农业喷灌的先进设施，世界各地都有人来参观。Pascua公司在不影响农业作业的条件下，有责任使这一设施保持清洁、整齐和具有吸引力。

如果由于灌溉设备故障时间过长（不是Pascua公司的责任），所有作物或一部分作物因缺水而导致损失，市公司应对Pascua公司的损失进行补偿，补偿额为截至损失之日所生产作物的出售价值减去实际成本之差额。在这种事件中，如果Pascua公司打算提出索赔，那么作为这种索赔的先决条件，Pascua公司必须在收到设备故障通知以后 30 天之内，向市公司提交索赔意向的书面通知。此外，应在设备故障所造成的损失实际数额被合理确定之后的 30 天之内，Pascua 公司向市公司提供证明损失大小的文件。

4.2.5　作物种植要求

当自转喷灌装置改变成半转装置运行时，Pascua 公司将在这种喷灌装置覆盖的耕种面积的一半面积上种植狗牙草，而在另一半面积上种植其他快速生长的作物，并采用最佳耕作方法全年种植。如果这种快速生长的作物不是非法的，而且对喷灌计划目的也无不利影响，Pascua 公司可以选种这种作物，但须经管理委员会批准。影响种狗牙草一侧的任何改变须经市公司批准。

4.2.6　Pascua 公司的季度报告

在每个季度的最后 15 天，Pascua 公司应就其所耕作土地的作业情况向市公司提交报告，内容包括：

· 应用于耕作土地上的各种除草剂、杀虫剂、化肥或任何其他化学制品(如果使用)的名称、数量和其他说明，以及应用这些物品的计划和应用定额。报告中还包括应用于各自转喷灌装置的氮的数量。

· 所用种子的种类和商标，以及播种计划。

· 各自转喷灌场地作物收获量的估计数量(采用合适的单位)，以及收割计划。

· 各自转喷灌系统所喷灌的面积。

根据要求，Pascua 公司将向市公司提供其生产成本的信息供市公司审查。市公司同意不把这种信息向 Pascua 公司的任何竞争对手透露，除非法院决议要求。

4.2.7　试验用地

共指定 4hm^2 土地作为 Pascua 公司的试验用地，但 Pascua 公司不应将此用做与喷灌计划不相关的任何农业用途。

另指定多达 4hm^2 的灌溉土地，作为市公司每年的试验用地。

除此之外,市公司还可拿出一套自转喷灌系统作农业研究之用。该研究将同 Pascua 公司共同进行,而且该中心系统具有与喷灌田地相同的经济和环境目标。本协议的所有条款都适用于该研究的中心系统。不过,市公司为了达到研究目标,可以规定专用作物、种植计划、灌溉应用率和其他农业方法。该研究项目的任何特殊要求,在开始本研究项目之前,市公司和 Pascua 公司之间须达成书面协议。

4.2.8 回收水数量和质量

市公司的目的是使用各种方法把两座废水处理厂处理过的全部废水处置掉,并尽可能均衡地把它可供利用的回收水分配给各回收水处置设施。为了达到这个目的,将计算各个回收水处置设施占整个喷灌土地设计容量的百分比,然后按此百分比,把可供利用的回收水分配给相应的回收水处置设施。例如,根据 1989 年 1 月 1 日的资料,东南喷灌场具有设计容量为 9.3 万 m^3/d,西南喷灌场的设计容量为 4 560 m^3/d。根据这些设计容量,给东南喷射的回收水分配率为

$$\frac{9.3 \; 万 \; m^3/d}{9.3 \; 万 \; m^3/d + 4\,650 m^3/d} \times 100\% = 95\%$$

市公司正试图开辟回收水再利用的其他用途。其中之一是灌溉高尔夫球场。高尔夫球场回收水再利用计划的初期阶段是灌溉塞米诺尔高尔夫球场。市公司打算让塞米诺尔高尔夫球场接受它每天的全部回收水和设计出水容量,如果由于某种原因球场不能灌溉,就把回收水储存起来,或者改作他用。

现有 38 万 m^3 容积的储水池拟用做东南喷灌场 8.8 万 m^3/d 和西南喷灌场 4 750 m^3/d 的备用储水设备。市公司拟再建一个容积为 38 万 m^3 的储水池,作为辅助储水设备,以便 Pascua 公司的耕作计划更为灵活。但必须指出,不管是现有的储水池,还是拟建的容积为 38 万 m^3 的辅助储水池,都不会用做高尔夫球场回收水再

利用计划的备用储水设备。

随着各个回收水处置设施设计容量的增减,分配给它们的回收水量将按比例改变。不过,在 5~7 月的 3 个月内,将向东南喷灌场提供 100% 的回收水。市公司应作各种努力,向 Pascua 公司提供其要求的回收水数量。但是,由于佛罗里达州环境保护局、美国环境保护局代理机构的要求,一旦禁止市公司输送这种回收水,市公司将不承担责任。

回收水中含有一些营养物质和农业上具有重要意义的化学成分。其中的一些成分的一般浓度以及每周的设计灌溉定额为 7.6cm 时的年应用定额如表 4-1 所示。

表 4-1　回收水中部分营养物质和化学成分的年应用定额

化学成分	浓度	定额(磅/(英亩·年))
pH 值	7.2	N/A
总氮	10mg/L	350(以 N 计算)
总磷	7mg/L	566(以 P_2O_5 计算)
总钾	8mg/L	340(以 K_2O 计算)
铜	8μg/L	0.3(以 Cu 计算)
锌	40μg/L	1.4(以 Zn 计算)

废水处理厂将作出各种努力实现回收水达到上述营养物质(化学成分)数量的标准,而营养物质(化学成分)的总量视废水处理厂获得的回收水的方量而定。市公司对由于回收水的营养物质(化学成分)浓度改变或回收水总量的改变而须减少营养物质(化学成分)负荷不负任何责任。

市公司通过其条例程序,保持对进入废水处理厂的废水类型进行控制。如果由于进入废水处理厂的已知物质或当输到现场的回收水中存在的已知物质,使得回收水不适合于作物灌溉(即主要用途),Pascua公司可以终止该租约。根据证实,回收水中的一些已知物质业已引起作物事故,且这种作物事故不是由于Pascua公司耕作不当造成的,市公司应给予Pascua公司赔偿。

Pascua公司可向市公司提出赔偿要求。作为这种要求的先决条件,Pascua公司在收到回收水中一些已知物质已经造成作物事故通知后的30天内,应向市公司提出索赔意图的书面通知。此外,由于回收水中存在一些已知物质,已造成作物事故,那么,在这种损失的实际数量在被合理确定之后的30天内,Pascua公司应向市公司提供其损失证明文件。

4.2.9 其他

如果市公司愿意,可以同Pascua公司签订购买、出租土地上生长的全部或一部分作物。确定价格的方法,应在交货(作物)的一年以前商定。

Pascua公司和市公司双方同意,不许在出租土地上进行狩猎活动。

按照一般的农业生产惯例,至少74%的灌溉土地应该连续在两个种植期内进行种植。如果Pascua公司做不到这一点,则认为Pascua公司放弃了租约,除非由于市公司违约或发生自然灾害。Pascua公司的意图是尽量合理地多种。"种植期"将由管理委员会确定。

如果市公司必须永久放弃这个项目,那么应提前一年书面通知Pascua公司。从发出通知一年以后,该租约将被终止。

在双方相互协商和意见一致的情况下,该租约可以作废。

Pascua公司应负责维护其化肥厂和固定化学物品贮存仓,包括结构的完整性和美观,并对清除溢出物和漏出物负全部责任。

市公司将在现场提供化肥、杀虫剂和除草剂以及将其直接注入到灌溉水中所需的化学给料泵和所有必需的设备及建筑物。这些装置每两个中心枢纽灌溉系统提供一套。市公司不负责提供化学物品贮存仓。

市公司将向 Pascua 公司提供存放农业机械和储备物资的设备棚,并提供容量为 370m^3/d 的饮水系统。这些设备的修理和维护将按本协议的相关规定进行。

在提供就业机会方面,Pascua 公司应向市公司保证做到下列各点:

· Pascua 公司在雇工时决不因种族、信仰、肤色和民族血统而歧视任何雇员或申请就业人员。Pascua 公司保证:申请者将受到雇用,在雇用期间,雇员将得到相应的待遇,而不管他们的种族、信仰、肤色或民族血统如何。这种行为将包括下列各点,但不限于下列各点:雇用、升级、降级或职务调动;新增成员或新增成员广告;解雇或终止雇用;工资或其他补偿形式;以及选择人员进行培训,包括当学徒。

· Pascua 公司同意在引人注目的地方,张贴对申请就业人员不歧视条款的布告。

· Pascua 公司将在招收雇员的广告中声明,本公司是一家就业机会均等的公司。

· 一旦 Pascua 公司不遵守这些不歧视的保证,本协议可全部或部分地废除、终止或中止。

如果 Pascua 公司想继续耕作该出租土地,那么应在本协议到期前 18 个月通知市公司,然后双方将就重新签订这种合同进行协商,协商将在 Pascua 公司发出通知 6 个月内完成。如果协商达成一致,市公司同 Pascua 公司的协议将被延续,否则市公司将登广告另择承包者。

如果同其他承包者签订协议,将公平、公正、有序地实现从 Pascua 公司到新的承包者的转移。Pascua 公司同意必要时调整其耕作计划,而市公司同意要求新承包者调整其耕作作业计划,以便两种耕作作业能恰当地交替进行。不言而喻,管理委员会将对有序地转移的计划的安排和实施进行指导,管理委员会的决定具有约束力。

由于 Pascua 公司的作业所造成的人员(包括代理人或雇员)伤亡或财产损失,所有责任由 Pascua 公司承担。Pascua 公司应负责投保,提供保险总额至少每人 10 万美元、每起事故 30 万美元。

5 佛罗里达州奥兰治县水再利用的综合方法
（Christopher J. Brooke，Victor J. Godlewski）

奥兰治县位于佛罗里达州的中部，人口 70 多万，是佛罗里达州第 6 大县。它拥有 3 处区域性废水回收设施。这些设施分别位于该县的东服务区、南服务区和西北服务区等 3 个主要废水服务区内。3 个服务区的总面积约 487km²。1993 年，该县的 3 个区域性设施平均每天收集、处理和再利用废水 9.8 万 m³。佛罗里达州环境保护局（FDEP）认为奥兰治县是该州最大的废水再利用用户。这一荣誉属于奥兰治县具有废水再利用计划的各个城市，包括奥兰多、温特帕克和阿波普卡。

有两个因素推动了废水再利用事业的发展。一是废水处理的需要，二是节约饮用水的需要。根据对饮用水用途的分析，发现佛罗里达州城市灌溉水需求高达其总水产量的一半。因此，废水回收可以产生显著的节水效益。

奥兰治县废水再利用的主要推动力是废水处理，但废水再利用带来的节水效益也是重要的。地下水是饮用水和灌溉用水的主要水源。奥兰治县地下水充足且水质好，废水再利用有助于保持地下水的良好状态。

目前，奥兰治县利用佛罗里达州几种允许的废水再利用形式进行废水的回收利用。下面概括佛罗里达州关于废水处理和回收水利用的现行条例。

5.1 佛罗里达州的废水再利用

用于公众可接近区域的回收水必须处理到二级标准，而且必须进行高级别消毒。佛罗里达州高级别消毒标准要求：在消毒以前,总悬浮固体(TSS)不得超过 5mg/L;在消毒过程中,任何时候氯的总残余量应保持最小值,即 1.0mg/L。在每小时峰值流量时,可接受的最短接触时间为 15min。

高级别消毒的目的是使回收水中没有粪便大肠杆菌。对于一个正被监测的设施,连续 30 天每天采样数的 75%不得发现粪便大肠杆菌。此外,在此期间,水样中的大肠杆菌不得超过25 个/100mL。佛罗里达州目前不要求在配水系统保持最小的氯残余量。

经过上述方式处理的回收水,在佛罗里达州允许有下列用途:
· 灌溉所有的草地和美化区,包括住宅区草坪;
· 对去皮、烹调或热处理以后才食用的作物进行直接灌溉(例如高架喷灌);
· 对一般生吃的可食作物进行间接灌溉(例如垅灌和沟灌);
· 给冷却塔供应补给水;
· 消防用水;
· 冲厕所用水。

将经过处理的废水应用于限制公众接近的区域,在佛罗里达州也被认为是再利用,例如快速渗透灌溉和常规的土地灌溉(喷灌)。在这些情况中,利用回收水进行地下水回灌也是有益的。

用于限制公众接近区域的回收水,其处理要求没有用于非限制区域的严格。一般说来,符合二级标准的回收水就是合适的,不要求高级别消毒。对于使用快速渗透的系统,回收水的硝态氮最大允许浓度为 12mg/L。

5.2 奥兰治县目前的废水再利用

奥兰治县目前正在实施一个很全面的废水再利用计划。该计划涉及奥兰治县各个区域性废水回收设施。下面概括该县 3 个主要服务区废水再利用的实施情况。

5.2.1 东服务区

快速发展的东服务区面积约 190km²。服务于该区的设施称东区水回收设施(EWRF),其设计容量为 19.0Mgal/d。1993 年平均废水量约 7.2Mgal/d。EWRF 采用 Bardenpho^{TM}生物学法除去营养物质。除该法外,EWRF 的水处理包括过滤和消毒。EWRF 按高级废水处理(AWT)标准处理回收水。EWRF 的回收水的再利用标准为:

·快速渗滤/地下水回灌:2.5Mgal/d

·冷却塔用水:3.7Mgal/d

·湿地补给:5.0Mgal/d

EWRF 的湿地系统由约 60.70hm² 的天然湿地和 60.70hm² 的人工湿地组成,均用做野生生物的生存环境。该系统的设计接受流量为 6.2Mgal/d,但目前只允许接受 5Mgal/d。EWRF 的回收水流经湿地系统后,流到大伊兰洛克哈奇河的一条支流。附近的斯坦顿动力中心(SEC)的电厂把回收水用做冷却塔用水。该动力中心为奥兰多市公用事业委员会所拥有。

5.2.2 南服务区

南服务区的面积约 172km²。服务于该区的设施称南区水回收设施(SWRF),其允许容量为 30.5Mgal/d。1993 年平均流量为 16.1Mgal/d。SWRF 目前提供二级处理和过滤。按照州政府要求,用于公众接近区域的回收水必须进行高水平消毒。7.5Mgal/d 的水处理系统(可以扩大到 15Mgal/d)是为 Bardenpho^{TM}生物法除去营养物质而设计的主要设备。如果未来需要满足更严格的回收水水质标准时,可以增加另外的营养物质处理设施。

目前,SWRF 生产的回收水的大部分泵到 Water Conserv Ⅱ/西南(SW)201 系统,然后把回收水用于柑橘树灌溉及地下水回灌(经过快速渗滤池)。

Water Conserv Ⅱ/SW201 系统是奥兰治县和奥兰多市的合资项

目,设计容量 50Mgal/d,服务的土地面积为 6 070hm²。目前该系统的服务面积约为 4 775hm²,灌溉对象主要为柑橘林。接受回收水的土地所有者同奥兰治县和奥兰多市签有免费使用一定方量回收水的总期(20 年)合同。FDEP 根据这种合同分配回收水的处置容量。该项目柑橘灌溉部分目前的允许容量为 28.0Mgal/d。Conserv Ⅱ/SW201 系统目前正在进行扩大,它将为具有潜在需求 5.0Mgal/d 的另外 550hm² 土地提供服务。与该最新扩大工程有关的终端用户,除了柑橘林外,还包括几处植物苗圃。Conserv Ⅱ/SW201 系统的允许容量,奥兰治县和奥兰多市各占一半。Water Conserv Ⅱ/SW201 工程是世界上同类工程中最大者之一。

地下水回灌是 Water Conserv Ⅱ/SW201 系统提供的另一种废水再利用选择。在面积约为 647hm² 的土地上建造了快速渗滤池。快速渗滤池系统总允许容量为 16.0Mgal/d。当灌溉需水量减少时,快速渗滤池通过提供再利用的替代方法,给运行提供灵活性。如果回收水被判明其水质不符合标准,快速渗滤池还可提供替代的处置。

除 Water Conserv Ⅱ/SW201 系统外,SWRF 还用于其他的水再利用,包括不同 Conserv Ⅱ/SW201 系统发生联系的 4.4Mgal/d 的快速渗滤池系统以及高尔夫球场灌溉。南服务区是奥兰治县目前实践城市水再利用的惟一服务区。

SWRF 的 Conserv Ⅱ/SW201 系统回收水用途概括如下:

·柑橘林灌溉:14.0Mgal/d

·快速渗滤/地下水回灌:8.0Mgal/d

·高尔夫球场灌溉:1.2Mgal/d

·其他快速渗滤/地下水回灌:4.4Mgal/d

5.2.3 西北服务区

西北服务区的面积约 123km²。服务该区的区域性设施称为西北水回收设施(NWRF),其允许容量为 3.5Mgal/d。1993 年

NWRF 的平均流量为 2.5Mgal/d。NWRF 是为 Bardenpho^{TM}生物法除去营养物质工序设计的主要设备,目前按照改进的 Ludzack Ettinger 工艺采用预缺氧区进行除氮运行。未来如果需要满足更严格的回收水水质标准时,可增加另外的生物除营养物质的工艺箱。液流工艺系列目前不包括过滤工序。

目前在 NWRF 处理的全部回收水都通过快速渗滤池用于地下水回灌。快速渗滤池的所有设施都设在面积为 283hm^2 的 NWRF 补充场地之内。

5.3 奥兰治县未来的废水再利用

废水再利用已在奥兰治县的废水管理战略中起着主要的作用,预计该县未来的废水再利用将发挥更大的作用。在南服务区正在实施一个大的城市废水再利用计划。东服务区正在为可能的城市废水再利用计划作规划。该县将继续把重点放在回收水的大型用户上,例如工业用户和高尔夫球场。然而,该县也认识到,回收水最终将流入规模较小的用户,例如单个家庭。下面各节讨论奥兰治县未来废水再利用规划。

5.3.1 东服务区

该区 2005 年预计平均日流量为 24.6Mgal/d。EWRF 未来还需要另外的废水处理和回收水处理容量。

可以预计,这种另外的水处理容量将包括回收水再利用。预计斯坦顿动力中心的冷却水需求将随着电站的扩大而增加,到 1997 年,SEC 的回收水需求可能达到 8Mgal/d。

目前该县正在计算东服务区所需的潜在额外再利用容量。该项研究将针对广泛的用户,包括工业的、商业的、公园、多户住宅、单户住宅、高尔夫球场和娱乐场所等。

5.3.2 南服务区

南服务区 2005 年预计所需废水流量为 30.6Mgal/d。为了满足回收水处理容量的未来需要,将需要另外的再利用容量。南服务区废水再利用的可行性是 1991 年确定的。回收水输送系统的规划于 1993 年作了修订。估计南服务区回收水的可能需求量为 20.3Mgal/d。该服务区未来的回收水用户包括单户住宅用户、多户住宅用户、工业用户、商业用户、办公室用户、高尔夫球场和其他娱乐场所的用户。该工程分 3 个阶段实施。3 个阶段设计容量依次为 8.5Mgal/d、6.1Mgal/d 和 5.7Mgal/d。南服务区目前的规划包括兴建 80km、直径为 20～107cm 的管道。预计 3 个阶段的总费用为 0.29 亿美元,即按预计的回收水日需求量计算,每加仑回收水 1.43 美元。为了减少工程费用,该县成功地将废弃的压力干管变成回收水输送干管,在重新使用前进行了冲洗和消毒。

回收水泵站作为第 1 阶段扩建工程的组成部分,规划建在 SWRF 处。该泵站将按照稳定容量 43Mgal/d(30 000gal/min)进行设计。这种设备的高峰小时流量与平均日流量之比为 2.15:1。因此,泵站有能力把日均回收水水量在 11h 之内抽走。为了保持下游的压力不变,将对运行的水泵台数和速率进行控制。

泵站首先把两个 5Mgal 带盖的储水箱中的回收水抽出。这些水箱设计成允许滞留可能不合标准的回收水。这种设计特点将在下文中进行详细讨论。

回收水的输水管长超过 11km,直径 40～91cm。通过该管道将回收水供应给两个高尔夫球场。这两个高尔夫球场要求总日需水量为 1.3Mgal。每个高尔夫球场将建加压泵站。加压泵站的吸力侧将直接与该县的输水干管相连接,其出水一侧将直接与用户的灌溉系统相连接。

对于新的高尔夫球场,县府要求建均衡池以储蓄回收水。然后由用户从均衡池中把回收水泵到灌溉系统。这种运行方式允许每天 24h 内把回收水的日需量输到均衡池。因此,奥兰治县的回收水系统不受瞬间灌溉需水量所造成的高峰流量的制约。

SWRF 也将利用与 Conserv Ⅱ/SW201 系统有关的新的回收水再利用机会。该系统回收水配水网最新扩大部分的设计业已完成，且即将动工兴建。该最新扩大部分预计将向用户提供 5.0Mgal/d 的回收水以满足灌溉之需，奥兰治县和奥兰多市各得一半。

5.3.3 奥兰治县国家高尔夫球场

奥兰治县国家高尔夫球场是一个革新工程（也将包括 SWRF），奥兰治县和奥兰多市已经着手这个由政府和私人企业合伙的工程。县府刊登广告请私人公司就县、市所有的239hm² 土地改作高尔夫球场提出建议。此外，45 孔的高尔夫球场和其他拟改进的设施设计，都必须最大限度地利用回收水。

奥兰治县和奥兰多市已与私人公司签订长期租约。作为回报，该工程将由私人公司设计、施工和运行。私人公司的投资将通过高尔夫球场收费来回收。

预计该拟建工程将使用的回收水量达 5.0Mgal/d。除灌溉草坪和美化地表外，也可把回收水引到废砂土坑（也是快速渗滤池）。该工程范围内一定区域将进行地下灌溉，以最大限度地利用回收水，同时保持草坪表面适宜于娱乐活动。

5.3.4 西北服务区

2005 年 NWRF 预定的废水流量为 6.2Mgal/d。预测通过利用快速渗透池以及附近农业区的一些灌溉，将增加回收水的处理容量。NWRF 位于阿波普卡市附近，阿波普卡市号称"世界苗圃之都"，拥有大面积的室内苗圃。

将 NWRF 的容量从 3.5Mgal/d 扩大到 7.0Mgal/d 的规划正在进行。预测液体工序系列将增加过滤工序。在增加过滤工序的情况下，NWRF 生产的回收水将适合于在公众接近的区域使用。

5.4 其他废水再利用问题

这些问题包括水质管理、条例、交叉接头控制、设计与施工规范,以及公众教育等。

5.4.1 水质管理

奥兰治县以提供优质回收水而著称。然而,随着该县利用回收水的需要增长,在水质管理方面提出了更高的要求。这里将重点放在南服务区的 SWRF。

州政府要求水回收设施具有一定的可靠性和质量控制措施。这些措施有两个目的:

·保证水回收设施能产生优质回收水;

·保证只有水质合格的水达到终端用户。

按照州政府的条例,设计奥兰治县 SWRF 时使其具有下列可靠性和质量控制措施:

·按照美国环境保护局的标准,提供一级可靠性。

·针对附加的 TSS 控制,对二级回收水进行过滤。

·对经过过滤的水的混浊度不断进行监测。混浊度用来表明回收水是否可以采用,每个设施都必须制定混浊度规约。混浊度超过规约值的回收水被认为是不合标准的,而且不得进入再利用配水系统。奥兰治县采用的规约值为 2NTU。

·不断地量测从氯接触室流出的水流中挟带的氯残存量。氯残存量低于 1.0mg/L 的回收水被认为是不合乎标准的,而且不得进入再利用配水系统。

在 SWRF 的情况下,不合乎标准的回收水引到 Water Conserv Ⅱ/SW201 系统快速渗滤池。如果没有备用处置系统,则必须遵照州政府条例,把不合乎标准的回收水贮存起来,并予以重新处理。最小的贮存容积等于该设施日均设计流量。

除了上面所列的措施外,该县要求设法把水质不合标准的回收水引走并贮存起来。在 SWRF 将提供两个 5Mgal 带盖的贮水箱。一旦出现高混浊度或低氯残余量,则采取下列措施:

·把不合乎标准的回收水引入两个贮水箱中的一个贮水箱内。

·另外一个贮水箱(装有可接受的回收水)将通过使用自动阀同装有不合乎标准的回收水的贮水箱隔离。

·泵站将继续只把可接受的回收水泵入输水系统。在调查研究不合乎标准水质问题的同时,可把补充水源引入贮水箱。

·当贮存不合乎标准的回收水的贮水箱被充满时,运行人员将检查混浊度、TSS 和氯的残存量。如果判明水质是可接受的,则该水箱将恢复正常运行。如果水质是不可接受的,则运行人员将进行必要的调整;当水质恢复后,再恢复正常运行。装在贮水箱中不合乎标准的水将由 SWRF 逐渐重新处理。

5.4.2　废水再利用条例

在佛罗里达州,回收水供应商可以对一个具体的地理区域申请一个总的再利用许可证。一旦颁发了总许可证,每天使用0.1Mgal 回收水的用户,可以同再利用系统连接,无需再经过州政府允许。在颁发总的再利用许可证的同时,州政府要求控制回收水使用的回收水供应商制定一个条例。

该县的水再利用条例正在经历复杂的审查和批准过程。该条例的一些重要特点叙述如下:

·在奥兰治县规划有回收水供应的地方确定一个地理区域。

·在有回收水供应的地方,新的工程必须同回收水系统连接,利用回收水进行灌溉。

·对于这种强制性连接政策,条例也有某些例外,包括低收入住宅工程和建筑场地小的工程。

·已有工程(开发项目)不要求连接。它们可以自愿连接。局部配水系统的设计和施工费用将由用户负担。这很可能需要通过设置专门的征税区来进行。

·允许使用的回收水的确定。不许使用回收水防火和冲厕所。

·根据州政府条例,允许使用软管水龙头。软管水龙头宜装在带锁的箱子内,如果操作阀门需要专用工具(阀门柄或扳手),也可装在不带锁的箱子内。

· 禁止回收水管和饮用水管之间的接头交叉。

· 建立回收水的基本价格结构。

5.4.3 交叉接头控制手册

佛罗里达州要求提供回收水服务的地区制定交叉接头控制计划。此外，州政府还要求做到下列各项：

· 在使用回收水的设施的饮用水设备上安装回流防护装置。

· 加强对回收水服务区检查的计划。

· 有关于交叉接头和回流防护的公众教育计划。

县府提出的交叉接头控制手册论述了包括回收水的饮用水系统许多种可能的危险。使用回收水的回流防护类型将由县府根据危险程度加以确定。表5-1概括了县府提出的各项要求。

表5-1　县府提出的各项要求

设施类型	最低要求	设施类型	最低要求
住宅(低危险)	DC	商业区(高危险)	RPBA
住宅(高危险)	RPBA	办公室(低危险)	DCVA
多户住宅(低危险)	DCVA	办公室(高危险)	RPBA
多户住宅(高危险)	RPBA	工业区(高危险)	RPBA
商业区(低危险)	DCVA	农业区	RPBA

注：DC为二重单向阀，DCVA为二重单向阀组件，RPBA为减压回流组件。

县府对特殊回收水服务可根据下列情况指定较高的危险度：

· 拥有过不利的经历(例如有过非法的安装交叉接头)；

· 灌溉时用户掺加化肥或其他添加剂；

· 用户的上下水管道系统复杂或者没有检查通道。

由于回收水的存在而出现的回流防护问题，是佛罗里达州的一个有争论的问题。争论的一种观点支持更加严格的回流防护，另一种观点则拥护完全取消回流防护。州政府目前正在修订回收水再利用法规。

交叉接头控制的公众教育问题,将由奥兰治县通过它的回收水总教育计划来解决。这是交叉接头控制计划的重要组成部分。对饮用水系统最好而最有效的保护是使其远离交叉接头。

5.4.4 设计和施工规范

奥兰治县已经公布了水和废水设施的设计与施工标准及规范手册。该手册将作修改,以包括回收水设施。

从交叉接头防护的观点来看,设备的标签和标记都是回收水系统关注的问题。奥兰治县解决这些问题的方法概括如下:

·掩埋的 PVC 管是紫色的,带有"回收水不能饮用"字样。

·对于其他掩埋的管材,将印有"回收水不能饮用"字样的紫色带紧固在管子的顶部。

·阀门箱将在盖上铸有"再利用"字样。

5.4.5 公众教育

这是成功的回收水系统至关重要的组成部分。被选举的官员和一般公众都需要被告知有关回收水再利用的情况。

用户应能回答下列问题:

·什么是回收水?

·使用回收水安全吗?

·我可以怎样使用回收水?

·回收水哪些用途被禁止?

·交叉接头是什么?为什么它们是非法的?

·我必须使用回收水吗?

·回收水价格如何?

·如果我需要更多的信息或援助,与谁联系?

县政府已制定了公众教育的实施计划。该计划以"回收水协调员"为中心,回收水协调员有下列职责:

·印制 SSA(南服务区)回收水再利用信息小册子;

· 协调生产信息幻灯片或电视图像片；

· 作为现有的和可能的再利用用户的服务代表；

· 协调和进行 SSA 范围内正在考虑回收水再利用的开发者和居民教育研讨会；

· 关于与再利用有关的问题，对传媒起着联络员的作用；

· 编写和保存回收水再利用记录和用户数据库；

· 制定再利用接头检查计划并协调再利用检查活动；

· 联系可能的再利用用户，并代表县府进行初步讨论；

· 如有需要，协助县府进行长期协议和合同的协商。

5.5　未来的挑战

佛罗里达州的回收水系统面临一些挑战。佛罗里达州雨水丰沛，尽管在夏季多雨季节，蒸发量几乎同降雨量相近，但在降雨时，一般灌溉不需要回收水。当然，多余的回收水可以贮存起来留待以后利用。然而，在大多数情况下，难以提供所需要的大贮水量。许多回收水供应商要求调度人员根据季节性变化适当限制可供回收水的地表排放。在以前未做排放限制之前，许多公用事业系统（包括奥兰治县）已经不得不建造昂贵的备用处置系统，来适用季节性变化情况。

一般来说，对回收水的大量需求出现在春天干燥季节。毫无疑问，应合理利用回收水，也应劝告用户节约使用回收水。同时，回收水系统起着废水处理系统的作用，在旱季着重调节水措施也可能改变雨季的用水模式。当回收水不充足时，可以使用补充水源来满足需求。在其他季节，补充供水在尽量利用回收水方面可以起至关重要的作用。

6 加利福尼亚州回收水的间接再利用

（William R.Mills）

6.1 间接再利用

直接再利用是指将回收水直接用于农业灌溉或工业生产。间接再利用则是指将处理过的废水排入河、湖和溪中，为工业、农业或地下水回灌提供水源。在美国，间接再利用是较为普遍的再利用形式，特别是在那些直接再利用受到限制的地区，间接再利用成为水源补充的一大来源。俄亥俄河河系是一个大规模间接再利用回收水的例子。大约有491套废水处理设施将处理后的废水排入河中，用于城市供水的水源。

1983年，加利福尼亚州水利局（DWR）报道，间接或临时再利用废水量是计划回收废水工程再利用量的两倍多。1993年DWR报道的最新数据表明，加利福尼亚州的回收水工程经过10年的快速发展，计划再利用量已增加近1/3，但仍只是间接再利用量的一半。

大量的废水通过从北加利福尼亚的社区排入萨克拉门托河后被间接利用于供水工程，成为城市和农业供水的主要水源。尽管这种地表再利用形式效果明显，然而用回收水回灌地下水在加利福尼亚州逐渐成为一种更为重要的回收水间接再利用方式。

自1976年以来，奥兰治县水管区（OCWD）采用回收水回灌的方式，阻止了海水入侵。奥兰治县水管区将回收水进行处理，除去盐和有机物后同深井水混合，再通过21个注水井注入地下含水层。此工程既有效地保护了当地地下水不被海水入侵，又对含水层进行了回灌。第21水厂已将$9.9 \times 10^7 m^3$的回收水注入地下含水层。该工程成功地使奥兰治县水管区 1991 年 11 月将百分之百的回收水回灌于地下,作为海水入侵的屏障。

6.2　地下水回灌条例

　　为确保规划的回灌工程不影响生活用水水源的地下水水质,加利福尼亚州卫生服务局(DHS)拟定了规范回收水回灌地下水的条例。这些条例对回收水处理、回灌现场条件、回收水和地下水监测以及水质均提出了要求。要求回灌水质量达到饮用水的标准。对于回灌水中回收水比例超过 20% 的工程,要求除去回收水中的有机物。条例对回灌现场的渗滤率和从回灌区到饮水井的水平距离作了限制。在回灌作业区和饮水井之间要求设观测井,每个季度监测一次,以保证饮水井不受污染影响。这些条例将只适用于计划用回收水回灌地下水含水层的工程。

6.3　圣塔安娜河

　　加利福尼亚州间接利用回收水并将其用来回灌地下水,其中最突出的当数圣塔安娜河。该河从圣伯纳帝诺和圣加布利赖尔山脉流入利瓦赛德县和圣伯纳帝诺县,经过普拉多坝进入奥兰治县。18 个服务于 20 多个社区的城市废水处理厂的排放水排入圣塔安娜河。排入河中的废水总量超过 120Mgal/d。大多数废水经过三级处理后达到了加利福尼亚州回收水标准的严格要求。加利福尼亚区域水质管理局制定了管理条例以保证该河能产生效益,其中包括戏水娱乐项目。在枯水季节,该河 90% 以上的基流为回收水。

　　最近对圣塔安娜河进行了一次可用性分析,评估其是否达到EPA 水质标准。该标准中的许多规定比饮用水的规定更严格,且对社区废水排放者强制执行。含金属成分(例如铜)的污水将作指定排放,以保证河水的高质量。这些高质量的河水可以取得鱼类和野生生物生长繁殖、娱乐和地下水回灌等生态和社会效益。

6.4 普拉多湿地处理

奥兰治县水管区(OCWD)已开始利用建在普拉多坝后面的湿地来提高圣塔安娜河的水质。由奥兰治县水管区和全国研究所资助的为期两年的研究证实,湿地可以改善圣塔安娜河河水水质,以供地下水回灌之用。从公众健康的角度来看,硝酸盐是地下水水源中最有害的污染物之一,而湿地对去除硝酸盐非常有效。近几年夏末对河道基流的逐年测试结果表明,该河河水中的总氮含量超过地区水质管理局规定的河水水质目标 10mg/L。有关部门对排放者实施了更严格的管理措施,并通过建设在普拉多坝后的奥兰治县水管区下辖的湿地来去除氮,以降低排入河中废水的氮浓度。

湿地对圣塔安娜河水质也可能产生负面影响。尽管氮的浓度降低了,但初步结果显示,通过湿地的总有机碳和总溶解固体的浓度增加了。这种影响可以通过增大流过湿地的流量来减弱。

6.5 奥兰治县地下水回灌

圣塔安娜河是奥兰治县地下水回灌用水的主要来源。每年该县地下水回灌所需的 3.7 亿 m^3 水的三分之二以上来自圣塔安娜河。地下水资源是约 200 万人的奥兰治县市政用水的主要水源。

安拉黑姆渠的水文地质条件使得 OCWD 可通过渗滤河水的方法来回灌奥兰治县的多个含水层。OCWD 在河上修建了"T"型堤来降低河水流速以增加自然渗滤。在主河槽附近,修建了数个浅蓄水池用来沉积泥沙渗滤河水。也可以把水流引到一些自 20世纪 60 年代以来就被用于地下水回灌的深渗滤池。这些深渗滤池也可储存暴雨降水以增加回灌水量。

1990 年,OCWD 修建了 Burric Pit 泵站,将 3 700 万 m^3/a 河水

引入圣塔安娜河的最大支流。这一设施有效地拦截了暴雨径流，使其不至于白白地流入大洋。

OCWD 在安拉黑姆渠建了两座充气橡胶坝，以便在大暴雨之后把水引入河外渠道。经过第一次暴雨水流冲洗之后便可得到高质量的水供地下水回灌之用。此系统进一步减少了奥兰治县宝贵的水资源的流失。

6.6 通过回收水再利用增强奥兰治县的自给自足

虽然圣塔安娜河预计的流量会因为 Riverside 和圣伯纳帝诺这些社区废水排放量增加而变大，但自 1990 年以来，该河的流量一直低于预计值。这也许是近期旱灾、节约用水、放慢建设速度和增加当地回收水的再利用等造成的。圣塔安娜河流量的时限性促使 OCWD 不得不考虑采用 CSDOC 的高度处理回收水补充圣塔安娜河流量的提议。拟建的 OCWD 和 CSDOC 联营工程被称为奥兰治县区域回收水工程。按照设计，工程最终能从 CSDOC 设在芳汀流域的 1 号工厂回收多达 1.24 亿 m^3/a 的水。工程分三个阶段完成，预计分别生产高级处理水的水量将按阶段分别达到 0.62 亿 m^3/a、0.93 亿 m^3/a 和 1.24 亿 m^3/a。回收水将经过微过滤及部分反渗透和消毒处理。紫外线照射可以消毒并降低含盐量。高度处理过的水将通过 24km 长的管道被抽到位于安拉黑姆渠的 OCWD 漫渗处理场。根据目前 OCWD 的回灌能力还可以再容纳 1.24 亿 m^3/a 回收水。估计通过扩散池每年可以回灌回收水的时间可多达 10 个月，在干旱的情况下还可能更长。

要解决的问题包括从非废水水源取水稀释回收水、地下水深度、漫渗场地和井区的分离、在被抽出作饮用水之前在地下的滞留时间以及 DHS 提出的有关地下水水质的目标管理和规定。解决好这些问题可引入在价格上更具竞争力的水源。其中的关键问题是要保证该工程生产水的水质优于圣塔安娜河目前在枯水季节的水质。

6.7 满足未来水需求的间接再利用

根据 1993 年 DWR 报告中的推断,如果不对现有或新的水源作最大限度开发,加利福尼亚州的水量短缺可能达到 25 亿~50 亿 m^3,在旱季还可能增至 70 亿~95 亿 m^3。因此,加利福尼亚州未来经济和发展将极大程度地有赖于优质水的供应,而回收水正可以满足其需求。在奥兰治县,多达 31 亿 m^3/a 的废水,是直接和间接回收水工程可靠且可利用的水源。购入水虽是可行的选择,但终究不如前者来得可靠。抛开价格因素,单从环境的角度考虑,这种水源也是存在重大风险的。

尽管直接再利用工程有了长足的发展,但回收水的间接再利用仍使加利福尼亚州,特别是奥兰治县获得了最大限度的实效。直接再利用工程的巨大费用,包括水的处理、储存方面的费用,限制了将它们用做加利福尼亚州补充水源的可能性。地下水资源是天然的水库和配水设施。地下水资源回灌可对水质作再次处理并加以保护。以地下水回灌的方式进行回收水的间接再利用是低成本、高效益的选择。地下水回灌这种间接再利用方式为加利福尼亚州满足其不断增长的城市工业和农业的水需求提供了一个最为可行的手段。

7 丹佛回收水直接用做饮用水的示范工程

(William C Lauer, Stephen E Rogers)

丹佛市创建的将回收水直接用做饮用水的再利用示范工程,是为了给回收水的水质、公共卫生、技术和经济可行性,以及消费者和管制机构的认可等相关问题,提供一个明确的回答。回答所有这些问题的一个共同环节,就是再利用回收水的水质同国内外饮用水水质标准以及同丹佛市现有优质饮用水的比较。

7.1 背景

丹佛(科罗拉多)水利局现有水资源目前足以满足其服务地区的需求,但预计未来的用水需求量会超过其现有的供应能力。丹佛水利局制定了相应的规划以满足增长的需求量。规划要求不断地利用回收水、保护水源以及增建蓄水工程与大规模的引水工程。然而,水源区离大城市区愈来愈远,蓄水和引水工程的造价也越来越高。此外,对环境的关注使得大规模引水工程的可行性遭到质疑。因此,在研究用回收水取代上游原水、工业回收和非饮用再利用的各种方案后,认定直接饮用再利用是有效地利用引水水量的惟一选择。再者,据估计,进入新世纪之后,把回收水处理成可直接饮用的水比开发新的常规水源要经济得多。

7.2 处理厂的设计方案

在进行了为期 10 年的所有单元工序试验和试验性测试之后,最终确定了处理厂设计方案,建造了一个流量为 44L/s(3 800 m³/d)的可饮用的水再利用示范论证厂。该厂于 1984 年开始运行。示范处理厂的原水取自丹佛市废水处理厂经过生物学处理却未经氯化的二级处理回收水,设计的工序包括高 pH 值石灰处理、一级或两级再碳酸盐化、加压过滤、除氮有选择性的离子交换、两级活性炭吸附、臭氧化、反渗透、空气清洗和二氧化氯消毒。支流工序包括一个液态碳层吸附炉、真空泥过滤和有选择的离子交换再生剂回收。

处理厂的多重安全设计保证了其可靠性。多重处理屏障设计原理将单元工序合并为一个整体,而不是依赖于某一个工序来负责完全除去某种污染物,增加了工序的可靠性。表 7-1 列出了几组处理主要污染物的多重屏障。

表 7-1　多重屏障保护

病毒和细菌	5 重关卡 ·高 pH 值石灰澄清 ·紫外线照射 ·反渗透/超过滤 ·臭氧化 ·氯化/氯氨化	金属和无机物	3 重关卡 ·高 pH 值石灰澄清 ·活性炭吸附 ·反渗透/超过滤
原生动物	4 重关卡 ·高 pH 值石灰澄清 ·反渗透/超过滤 ·臭氧化 ·二氧化氯/氯氨化	有机物	4 重关卡 ·高 pH 值石灰澄清 ·活性炭吸附 ·反渗透/超过滤 ·空气洗涤

7.2.1 各方案对人类健康的影响测试

在性能测试期间,处理厂的配置会有所变化,以检验各种单元工序。测试结果已另有报道。测试目的是要去除那些不可靠的或不必要的处理步骤以保证水质或用户的安全。分析的结果是处理厂根据动物试验的测试结果调整了厂内配置。设计工序同健康影响的比较表明,活性炭一级处理可以去掉,有选择的离子交换系统及其相关支流工序也可以去掉,用臭氧作为初步消毒剂取代二氧化氯消毒。这些改变的基本原理另有介绍。健康影响测试中也对试验性规划的超过滤膜分离工序取代反渗透做了测试。

7.2.2 水质

除了检验可饮用的再利用水的水质,看是否符合已制定的国内和国际标准外,同时将再利用水与丹佛当前使用的优质饮用水作了比较。表7-2把处理厂生产的回收水水质(见图7-1)同丹佛饮用水质作了比较。丹佛饮用水基本上是来自受保护流域的第一次使用的融雪水。丹佛饮用水被选作比较的标准有两个理由:其一,如果可饮用回收水与现有的饮用水水质相同甚至更好,将更容易被公众接受;其二,按饮用水水质标准来考虑工程设计可免除许多后顾之忧。

就水中所含微生物的情况而言,可直接饮用的回收水水质很好。这种回收水通过石灰处理、反渗透、臭氧和二氧化氯等多重屏障生产出来,其总大肠杆菌和异养平板计数(统计显著性 $p = 0.005$)都比现代常规处理厂生产的饮用水低。针对有机化学污染物有相似的研究结果报道,经过石灰处理、活性炭吸附、反渗透和空气洗涤等多重关卡所产生的回收水,其总有机物浓度较低(以总有机碳来度量,Toc),且含有少量浓度低于饮用水、可用色谱分析的恒量有机化合物(两者都未接近管制(限制)的化合物浓度)。

表 7 – 2 回收水的水质

参数		回收厂入流	回收厂的产品水		丹佛饮用水
			反渗透	超过滤	
常规	总碱度 – CaCO₃(mg/L)	249	2	154	64
	总硬度 – CaCO₃(mg/L)	206	4	101	107
	TSS(mg/L)	12	*	*	*
	总溶解固体(mg/L)	581	17	342	183
	电导率(10⁻⁴S/m)	983	60	661	294
	pH 值	6.8	6.4	7.7	7.8
	混浊度	9.2	0.06	0.2	0.3
	总有机碳(mg/L)	16.3	0.2	1.1	2.1
	TOX(mg/L)	109	6	24	46
	粒径 (个/50mL) > 128μ	–	*	*	*
	64 ~ 128μ	–	1.5	2.6	1.6
	32 ~ 64μ	–	25	55	41
	16 ~ 32μ	–	78	230	233
	8 ~ 16μ	–	163	903	869
	4 ~ 8μ	–	252	2.286	2.274
无机物	铝(mg/L)	0.057	0.010	0.012	0.144
	砷(mg/L)	*	*	*	*
	硼(mg/L)	0.41	0.23	0.34	0.13
	溴化物(mg/L)	*	*	*	*
	镉(mg/L)	*	*	*	*

1990 年 1 月 9 日 ~ 12 月 20 日的几何平均值

参数		回收厂入流	回收厂的产品水		丹佛饮用水
			反渗透	超过滤	
			1990 年 1 月 9 日～12 月 20 日的几何平均值		
无机物	钙(mg/L)	52.1	0.8	32.6	25.9
	氯化物(mg/L)	97	16	94	25
	铬(mg/L)	0.002	＊	＊	＊
	铜(mg/L)	0023	0.009	0.010	0.005
	氰化物(mg/L)	＊	＊	＊	＊
	氟化物(mg/L)	1.2	＊	0.6	0.7
	铁(mg/L)	0.25	＊	0.068	0.028
	钾(mg/L)	12.7	0.6	8.4	7.0
	镁(mg/L)	12.6	＊	1.6	7.9
	锰(mg/L)	0.10	＊	＊	0.01
	汞(mg/L)	0.000 1	＊	0.000 1	0.000 1
	钼(mg/L)	0.021	＊	0.005	0.012
	TKN(mg/L)	26.6	3.7	16.4	0.8
	氨－氮(mg/L)	24.6	3.9	17.3	0.6
	硝酸盐－氮(mg/L)	0.1	0.1	0.1	＊
	亚硝酸盐－氮(mg/L)	＊	＊	＊	＊

参数		1990 年 1 月 9 日 ~ 12 月 20 日的几何平均值			
		回收厂入流	回收厂的产品水		丹佛饮用水
			反渗透	超过滤	
无机物	镍(mg/L)	0.007	*	*	*
	总磷(mg/L)	5.4	0.02	0.05	0.01
	硒(mg/L)	*	*	*	*
	二氧化硅(mg/L)	13.6	1.7	8.7	6.1
	锶(mg/L)	0.39	*	0.12	0.23
	硫酸盐(mg/L)	166	2	58	47
	铅(mg/L)	*	*	*	*
	铀(mg/L)	0.003	*	*	0.001
	锌(mg/L)	0.38	0.005	0.11	0.003
	钠(mg/L)	117	4	79	19
	锂(mg/L)	0.17	*	0.011	0.007
	钛(mg/L)	0.05	*	0.02	*
	钡(mg/L)	0.03	*	*	0.03
	银(mg/L)	0.001	*	*	*
	铷(mg/L)	0.002	*	*	*
	钒(mg/L)	0.002	*	*	*
	碘化物(mg/L)	*	*	*	*
	锑(mg/L)	*	*	*	*

	参数	回收厂入流	回收厂的产品水		丹佛饮用水
			反渗透	超过滤	
微生物	m – HPC(个/mL)	1.1×10^6	*	182[1]	7.8
	总大肠杆菌 (个/100mL)	5.9×10^5	*	*	*
	粪便大肠杆菌 (个/100mL)	6.2×10^4	*	8	*
	粪链球菌(个/100mL)	8.1×10^3	*	*	*
	杆菌噬体 B (个/100mL)	2.1×10^4	*	*	*
	杆噬菌体 C (个/100mL)	5.3×10^4	*	*	*
	贾第鞭毛虫(cysts/L)	1.8	*	*	*
	结肠内阿米巴 (cysts/L)	1.6	*	*	*
	线虫(单位/L)	4.1	*	*	—
	肠道病毒(单位/L)	—	*	*	*
	内阿米巴属组织 (cysts/L)	*	*	*	*
	隐担孢子(oocysts/L)	0.4	*		* *
	藻类(个/L)	1.5	*	*	*

1990 年 1 月 9 日～12 月 20 日的几何平均值

注:—代表未分析出,＊代表低于检测限值,(1)代表试验规模所进行的消毒非最佳消毒措施。

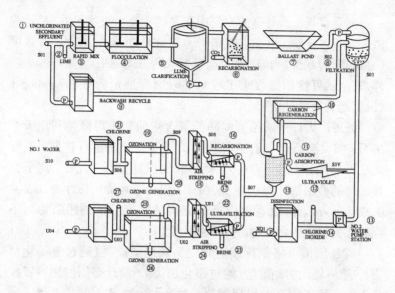

图 7-1　超过滤支流程的可饮用回收水处理过程

①—未经氯化二级处理的出流；②—石灰；③—快速混合；④—絮凝作用；⑤—石灰澄清；
⑥—再碳酸化；⑦—碎石池；⑧—过滤；⑨—反洗循环；⑩—碳再生化；⑪—碳吸附作用；
⑫—紫外线；⑬—2 号泵站；⑭—二氧化氯；⑮—消毒；⑯—反渗透；⑰—盐水；
⑱—空气洗涤；⑲—臭氧化；⑳—臭氧发生；㉑—氯；㉒—超过滤；㉓—盐水；
㉔—空气洗涤；㉕—臭氧化；㉖—臭氧发生；㉗—氯

7.2.3　氮

　　如表 7-2 所示,除氮的含量以外,已经过回收厂处理的水,其水质在测试中的各个参数均优于丹佛饮用水。由于亚硝酸盐和硝酸盐的存在会影响健康,当把经二级处理的回收水再利用于可饮用水时,必须除去氮。如果这些化合物浓度过高,就会导致高铁血红蛋白血症,血红蛋白(高铁血蛋白)不能将氧输送到细胞组织中。目前硝酸盐的最大污染度(MCL)是以含氮量来衡量的,为 10 mg/L。EPA 建议的最大污染度目标值($MCLG$)为 1.0mg/L。

氨是常规二级处理的出流中存在的主要污染物形式,且目前 EPA 未予以管制。欧洲以铵离子为衡量对象,氨的最大容许浓度(*MAC*)定为 0.5mg/L(以氮为衡量对象为 0.4mg/L)。除丹佛工程外,其他的可饮用回收水工程氨的限制标准定为 0.5～0.4mg/L(以氮肥为衡量对象)。

处理厂设计中所设置的降低氨含量的初级屏障是利用天然沸石、斜发沸石进行有选择性的离子交换。在运行初期,系统无法可靠地达到少于 1mg/L 氨与氯的设计目标。此外,离子交换处理的费用估计为 0.15 美元/m^3,包括基建费用估计为 0.25～0.32 美元/m^3。这就是说用离子交换只除去单一的污染物而不同时除去其他的污染物,费用是相当大的。

需氧细菌可将氨持续地转化为亚硝酸盐类(通过亚硝化菌类),然后转化为硝酸盐(通过硝化菌类)。设计部门使用科罗拉多大学环境工程系的科研赠款,对除去生物氨的工艺进行了研究。所得设计(采用试验规模作了检验)包括固定薄膜硝化工序和使用醋酸纤维(C_2H_5OH)作有机碳的脱氮工序。同离子交换系统相比,检验设计的试验系统能以远低于离子交换的费用达到更好的去氮效果。氨的卫生影响是众所周知的,为了不损害本论证计划的目标,决定将没有硝化工序和脱氮工序的论证性处理厂投入运行。不过,这是假设硝化和部分反硝化的二级处理的出流作为规划目的的最终原水水源,因为即将颁布的在河流中注入回收水的标准将要求废水公用事业公司进行这种处理,以达到要求。在任何情况下,一种可供选择的处理方案必须经过证实,万一需要它时,它可用来减少各种形态的氮。

7.2.4 污染物配制研究

该工程的一个挑战传统处理厂的特点是,人工引入高含量的各种污染物并观察除去这些物质的工序的有效性。为该论证计划所选的化合物和物质能代表关键污染物的所有主要组合。如表 7-3 所示。

表 7 – 3 各种试验物质

污染物	无机物	砷
		铬
		硝酸盐
		亚硝酸盐
		氰化物
		铅
		铀
	有机物	醋酸
		苯甲醚
		苯并噻唑
		氯仿
		Clofibric 酸
		乙苯
		肉桂酸乙酸
		甲氧滴滴涕
		磷酸三丁酯
	颗粒	乳胶颗粒(3μm)
	病毒	杆菌噬菌体(JJ 常规处理抗杆菌噬菌体)
		杆菌噬菌体(MS – 2)
		脊髓灰质炎病毒(稀释的)

　　这些加入的化合物的浓度比通常在废水处理厂的入流中所发现的浓度高 100 倍。加入的化合物持续时间有的较长(2h),有的很短(瞬时)。按照处理厂水力模型(专为本计划而开发的)预测,在处理厂不同部位采集了试样,用溴化钠作跟踪研究,对模型进行了反复检验。可以对溴化钠加以利用来确定采样次数和混合处理

后各处的浓度。这些化合物大多数被第一个处理工序(高 pH 值石灰澄清)完全或大体上除去,剩余部分在活性炭工序之后则完全不见了。此项挑战性的测试扩充了通常的水质测试程序,也进一步证明本处理厂除去污染物的各工序能力已达到常规废水处理厂所不能达到的程度。

7.3 对健康的影响

7.3.1 基本原理

在大城市水管区的废水中发现了许多值得关注的有机化合物。尽管很多特殊的有机化合物已被认明,但令人担忧的是对可能存在的化合物来说,分析方法仍很有限。采用常规的分析方法只有 10%的可测的总有机碳(TOC)能被加以识别。可识别的化合物总数往往由较简单的分子决定,此分子的分子量小,易于用目前的分析技术有效识别。克里斯曼提出,在检测氯化物含量时,能否用现有方法测出非挥发性氯化有机物的含量对健康很重要,尽管那些未被识别的有机物对人类健康影响尚未弄得很清楚,但有迹象表明,接触这些化合物可能存在风险。Jolley 等和哈曼的报告中说,在生活污水中有各种不易挥发的易变物。这些化合物不易用常规方法进行分析,这就存在很大的不确定性。因此,有必要把存在于回收水中未知部分的有机物加以浓缩,进行补充分析测试,以达到确定回收水直接饮用安全性的总工程目标。

7.3.2 动物健康影响试验

全国回收水水质标准研究委员会声明,关于回收水对健康的不利影响的最终评估必须参照对各种动物所进行的慢性毒性研究结果。

7.3.3 试样浓缩

一个合格的试样的采集由于存在下列一些因素而变得复杂:各种各样可能出现的化合物,提供一定试验项目所必须的浓缩水量,缺少收集环境试样的经验,无"标准方法"可循,以及在采样时段内有机化合物种类和浓度的改变。当评价和选择从毒性研究要使用的水样中分离和浓缩有机化合物方法时,这些因素和其他关注已导致一系列的折衷做法。

　　为了生产出毒理学研究所需的 500 倍(500×)浓缩物而必须加工处理的水量,有必要兴建规模空前的设备。通过尽量减小可能引入污染物或可能干扰取样水流的区域,必须考虑限制溶剂的数量和简化程序。许多先前用于分析试样准备或用于 Ames Salmonella 诱变试验限制试样要求的方法,对两年动物慢性研究来说是不适合的。另一方面,目的是生产用于卫生影响试验的试样,而不是用于分析试验的试样;同时,影响化学分析的人工制品的重要性可能减小,只要它们不产生毒性效应。

　　三种浓缩大于 100L 试样的方法分别是:XAD 树脂吸附、液—液萃取以及薄膜过滤(超过滤或反渗透)之后再树脂吸附或溶剂析出。薄膜过滤不予考虑,因为再利用产品水已经用此工序处理过。不断的液—液萃取法对气相可层析化合物的分离和浓缩是适合的。然而,丹佛饮用水中的天然化合物不能用此方法分离,最终的离子交换设计系一个带 XAD—8 塔的双塔系统,接着的是由 XAD—2 树脂和 XAD—4 树脂形成的混合层。图 7-2 是卫生影响浓缩器的示意图。丙酮被用做洗脱剂,因为它具有良好的洗脱特性的低毒性溶剂。

　　在用真空旋转蒸馏浓缩洗脱物的过程中,丙酮被除去。Lauer 等人对接触器设计作了全面的说明,并对准备试样所用的方法作了详细介绍。

7.3.4　剂量

　　每种试样水(经反渗透处理的回收论证厂的回收水,丹佛

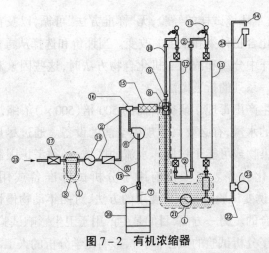

图 7 − 2　有机浓缩器

①—反设置在远程系统上;②—1/2″NPT 不锈钢管;③—25μm 聚丙烯微粒过滤器;
④—3/8″特氟纶隔离阀门和酸鼓分离;⑤—3/8″特氟纶管;⑥—正位移酸输送泵;
⑦—3/8″特氟纶管;⑧—1/2″特氟纶旁路阀门;⑨—1/2″NPT × 1/2″管不锈钢连接器 TYP;
⑩—1/2″特氟纶管 TYP;⑪—压力计和速动阀,采样口 TYP;⑫—XAD − 8 塔;
⑬—XAD − 2/4 塔;⑭—虹吸中断和平样口;⑮—静态混合器;⑯—特氟纶"T"型管;
⑰—隔离阀门;⑱—流量计;⑲—止回阀;⑳—酸鼓;㉑—耐酸性流量计;
㉒—1/2″PVC 管;㉓—pH 值测量计;㉔—至排水设备;㉕—供水

Foothills 水处理厂的饮用水)的慢性毒性和致癌研究使用两种剂量给野鼠和家鼠饮用(如下文所述)。剂量取为原水样浓度的 150 ~ 500 倍。由于试样的获得和资金的限制,超过滤试样(回收论证厂的回收水,但要用超过滤代替反渗透处理)只按高剂量(500 倍)对野鼠进行试验。对野鼠和家鼠两者的研究都使用了蒸馏水检验。被证明有毒的高剂量的 1/3 可以定为安全剂量的上限。

　　生殖毒性研究每种水样(用反渗透处理的回收水,丹佛市的饮用水和用超过滤代替反渗透处理加上一种控制的回收水)只使用一组剂量。如果在任一种剂量中观察到明显的生殖毒性,就必须质疑其作为饮用水的安全性。低剂量无效应的试验结果对正确结论的得出没有多少用处。因此,在生殖毒性试验中只使用了高剂量。

7.3.5　动物

Fisher 344 野鼠和 $B_6C_3F_1$ 家鼠被选为做慢性毒性和致癌试验动物,因为全国毒理学项目为这些动物建了大型数据库。Sprague–Dawley 野鼠被用做生殖毒性试验动物,这种品类通常用于生殖毒性研究。

7.3.6　管理和操作

500 倍浓缩水的试样从丹佛可饮用回收水示范厂用船运送到传染动物毒性实验室。浓缩的水在氮气中包装,并被储存在 4℃ 的环境下。在试验室内用蒸馏水将浓缩物稀释到要求的剂量标准,重新组成所要求的挥发性有机化合物,并在氮气中重新密封浓缩物。试样随用随取。在试验之前,EPA 对水的溶解性和适口性作了研究。这些程序在饲养研究中一直未曾中断。

7.3.7　慢性毒性和致癌性研究

慢性毒性和致癌性研究目标评估的是两年研究期间对生长和发育可能不利的影响以及潜在的致癌作用。每个物种、每种剂量、每种试验人工制品均使用了 70 个雄性动物和 70 个雌性动物。对于每个试验组,都是采用正式的随机化方法随机挑选动物。在研究中,动物使用的数量达到 1 540 只。

7.3.8　生殖毒性研究

生殖毒性研究目标是,确定两代研究中对生殖性能、动物胚胎的发育及后代生长和发育的可能不利影响。为了确定试验对象的胚胎毒性和畸形性,进行了畸形学方面的研究。

对试验动物的生殖指数、尸体剖验和生殖器官组织,都进行了病理学研究。生殖器官和组织是用显微镜进行检测的。死亡或存活的动物都要进行尸体剖验,并且检查所有的 F$_2$ 后代。

7.4　健康影响的试验结果

7.4.1　为期两年的慢性毒性和致癌性野鼠(rat)研究

　　为原水浓度的 500 倍反渗透水、超过滤水或丹佛目前的饮用水试样供 Fisher334 野鼠持续饮用至少 104 周,没有发现任何毒性作用或致癌作用。存活率雄性为 52% ~ 70%,雌性为 64% ~ 84%,与通常观察到的相符。所有的动物都接受了全面的尸体剖验,没有观察到与试验有关的身体损害,但在各组不定期死亡动物中偶有发现。

　　在相同性别的所有各组中,临床病症的发病率和类型是差不多的。虽然在统计显著性上,对照组和治疗组的体重、食物消耗量和水的消耗量等方面均存在各种小差异,但对试验影响不大。

　　在第 26 周、第 52 周和最后进行的临床病理学(血液学、临床化学和尿液分析法)和宏观病理学试验中均没有得出任何有价值的结果。在不定期的死亡和选定作对比试验的动物中没有观察到任何试验导致的组织形态学改变。各组中都出现各种病症但都非试验所致。各组中都有肿瘤病例发生,但却是这类野鼠在这个年龄常见类型的肿瘤。表 7 - 4 列出了有代表性的肿瘤(包括良性的和恶性的)发病率。有一组的发病率较其他组高出 5%。在使用丹佛饮用水的雄性组中和使用反渗透水的雌性组中观察到的甲状腺"C"细胞腺瘤发病率比对照水组稍高,但并不被认为与试验有关。综上所述,可以断定各种病症及肿瘤发生的数量与严重程度均在正常范围之内。

表7-4 完成试验(104周)和不定期死亡的野鼠中所生具代表性肿瘤数量

性别组	雄　性				雌　性			
	Con	DW	RO	UF	Con	DW	RO	UF
脑垂体								
检查的数量	50	49	49	50	50	50	50	50
腺瘤	19	11	22	19	19	22	19	20
癌	0	1	0	0	0	0	0	0
肾上腺								
检查的数量	50	49	50	50	50	50	48	50
良性嗜铬细胞瘤	8	4	8	9	3	3	2	0
恶性嗜铬细胞瘤	0	0	0	0	0	1	1	0
甲状腺								
检查的数量	50	40	50	50	50	500	48	50
腺囊细胞腺瘤	5	1	3	3	2	0	2	2
腺囊细胞癌	0	1	2	3	1	0	0	0
"C"细胞腺瘤	2	9	3	5	4	4	8	2
"C"细胞癌	3	4	1	5	2	3	1	2
生血的瘤形成								
检查的数量	50	49	49	49	50	49	50	50
白血病,单核的	27	21	22	21	16	11	18	11
胰腺								
检查的数量	50	49	49	50	50	49	48	50
胰岛细胞线瘤	3	1	4	3	0	2	0	1
胰岛细胞癌	1	1	0	2	0	1	0	0
睾丸								
检查的数量	49	50	50	49	－	－	－	－
良性间细肿瘤	46	47	38	44	－	－	－	－
恶性间皮瘤	1	1	2	4	－	－	－	－
子宫								
检查的数量	－	－	－	－	50	49	49	50
子宫内膜基质息肉	－	－	－	－	7	4	7	6
子宫内膜基质肉瘤	－	－	－	－	1	0	1	0
乳腺								
检查的数量	47	44	49	49	50	50	50	50
纤维腺瘤	1	0	1	0	7	10	5	1

注: Con 为蒸馏水对照,DW 为丹佛饮用水,RO 为反渗透处理,UF 为超过滤处理。

7.4.2 为期两年的慢性毒性和致癌性家鼠（mouse）研究

在对家鼠的长期研究中获得了与野鼠长期研究相似的阴性结果。反渗透水或丹佛市目前的饮用水的试样浓度为原水浓度的500倍,持续供给 $B_6C_3F_1$ 家鼠饮用至少104周,未发现任何毒性作用或癌症作用。存活率和发病率以及临床病症类型与野鼠长期研究结果相似。

在26周、65周和最后进行的临床病理学、宏观病理学和微观病理学研究中没有得出可认为与治疗有关的结果。在持续饮用了丹佛饮用水或反渗透水至少26周的雄性 $B_6C_3F_1$ 家鼠中观察到肾小管再生发病率有极小(轻微)的增加。肾小管再生发病率的增加在第65周或最后放弃阶段的观察中未被证实。

总共发现了357例肿瘤,其中95%发生在66周以后。大多数普遍感染的器官是生血系统、肝脏、肺和脑垂体(见表7-5)。观察到的肿瘤普遍发生在衰老的家鼠身上,明显与丹佛饮用水或反渗透水没有关系。在接受丹佛饮用水或回收水的家鼠中观察到微观改变,在类型和严重性上与家鼠普遍的自发过程是一致的,且与同时进行试验的蒸馏水对照组中观察到的结果相似。

表7-5 在家鼠长期研究中观察到的一般肿瘤的分布

性别组	雄性			雌性		
	Con	DW	RO	Con	DW	RO
各组的鼠数 a	70	70	70	70	70	70
生血系统	9	7	10	20	21	25
肝脏	28	24	21	2	7	5
肺	10	11	12	4	2	2
脑垂体	0	0	0	10	9	12

注:a 为研究开始时各组的鼠数,不代表任何组各器官接受检查的组织的数量;Con 为蒸馏水对照,DW 为丹佛饮用水,RO 为反渗透处理。

7.4.3 生殖研究

多代生殖研究中最值得注意的结果是,在处理的各组中,缺乏对生殖行为表现、生长、交配能力,以及后代的存活率或胎儿发育有任何可以证明的与处理有关的影响。事实上,F_1 代在其生存的大部分时间暴露在处理的状况中(从断奶到最终死亡最少 48 周)。

在丹佛饮用水给药组中,除了一例雌性野鼠由于分娩困难死亡外,F_0 代的存活率为 100%。在 F_0 代成长期间没有体重增加的差异。和其他各给药组相比,丹佛饮用水给药组的平均日进水量一直较低。这可能是在丹佛饮用水给药的溶液中加有挥发性有机化合物味道不好造成的。反渗透水不含挥发性有机化合物(VOC)。耗水量的减少不足以减少体重或进食量。F_1 幼仔存活率在哺乳期非常好;所有各组在哺乳期间幼仔的体重相近。

在 F_1 母代的处理期间不定期死亡,雌性 6 例,雄性 3 例。对 F_{2a} 或 F_{2b} 幼仔的存活率或生长没有不利影响。畸形学评估的概要见表 7 – 6。仅有一例畸形,在研究中无尾胎儿有脊椎骨和肋骨骨骼畸形。观察到的单个畸形胎儿不表明有畸形影响,只可认为系自发性事件。在发育中胎儿骨骼和内脏没有出现发育影响方面的变化。

在母代的尸体剖验中没有发现由于与给药水接触而出现的临床症状改变或宏观组织改变。在各代的母代动物中没有得出与处理有关的临床病理学结果。

关于卫生影响、浓缩器的设计和毒性学试验的详细讨论,读者可参考 Lauer 的论述。

7.5 费用

在以前的报告中计算过 3 800m³/d 示范厂的运行和维护费用,这些数据可用来比较该厂各种处理工序,以便在工序评估中能选定出对健康有益的处理系统。列于表 7 – 7 的费用预计是根据工程表和回收水论证厂的连续运行所得到的数据得出的,数字基于美国1994年1月的价格。

表 7 – 6　F_{2c}代畸形学研究结果

项目	对照组	RO 组成	UF 组胺	DW 组
胎儿外部变化				
研究的胎儿数(个)	185	187	121	166
胎儿发病率(%)	0	0	0	0
胎儿外部畸形				
研究的胎儿数(个)	185	187	121	166
胎儿发病率(%)	0	0	0	0
胎儿软组织变化				
研究的胎儿数(个)	58	63	42	58
胎儿发病率(%)	7(12.1%)	12(19.0%)	4(9.5%)	20(34.5%)
胎儿软组织畸形				
研究的胎儿数(个)	58	63	42	58
胎儿发病率(%)	0	0	0	0
胎儿骨骼变化				
研究的胎儿数(个)	127	124	79	108
胎儿发病率(%)	92(72.4%)	79(63.7%)	50(63.3%)	82(75.9%)
胎儿骨骼畸形				
研究的胎儿数(个)	127	124	79	108
胎儿发病率(%)	0	0	0	0

　　表格中示出的费用较低,超过滤和反渗透处理工序的估算费

用也不高,最高仅为 0.48 美元/m³,因而费用问题不会阻碍未来在丹佛实现回收水直接用于饮用。

表 7 - 7   100Mgal/d (44L/s)反渗透处理厂的估计费用

(采用论证厂运行值) (单位:美元/1 000gal)

工序	分期偿还资金	运行和维护的花费	总花费
生物氮除去	0.10	0.06	0.16
高 pH 值石灰澄清 (包括污泥处置)	0.11	0.36*	0.47
废物处置	0.06	0.11	0.17
过滤	0.03	0.02*	0.05
活性炭(包括再生和替换)	0.10	0.21*	0.31
反渗透(包括盐水处置)	0.51	0.80*	1.31
臭氧化	0.009	0.008*	0.009
氯胺化	0.002	0.003*	0.005
其他设备	0.011	0.019*	0.030

注:总处理费用估计为 2.60 美元/1 000gal; * 表示根据回收论证厂的运行和维护费用得出。

7.6   结论

回收水直接用做饮用水的示范工程已运行了 13 年,证明了用非氯化二级处理的废水生产可饮用水的能力和可靠性。44L/s 的研究处理厂在世界上是惟一的,它提供了许多关于从水中除去天然和人为污染物处理工序有价值的信息。主要研究结果如下:

·处理工序(高 pH 值石灰澄清、再碳酸化、过滤、活性炭吸附、反渗透或超过滤、空气洗涤、臭氧化和氯化)能可靠地用经过二级处理的废水生产满足所有现行的和拟采用的 US、EPA 饮用水标准的产品水。

·第一次对回收水进行了整整两年的慢性毒性和致癌性研究，并同目前使用的饮用水作了比较。试验动物一生接触试样，没有发现有害影响。

·对回收水和丹佛目前的饮用水进行了生殖性研究。在两代生殖研究中，两种水都未发现不利影响。

·对回收水进行无先例的物理、化学和微生物学试验，发现了通常在生活用水中未曾发现过的纯净度。在任何试样(甚至接近管制的试样)中没有发现任何化合物(有机的或无机的)或有机体(细菌或病毒)。

·公众持谨慎乐观的态度，大多数人表示愿意接受把回收水用于饮用——如果证明需要这样做，而且能确保安全。

·虽然管制机构的批准不是本项研究追求的一部分，但分析结果和卫生影响试验结果会为了促进管制机构的认可提供有力的支持。

·根据论证处理厂的经验(包括基建费用和年运行与维护费用为 $0.48 \sim 0.68$ 美元$/m^3$)进行估计，建设反渗透处理厂的费用，同丹佛计划的未来常规水源扩大工程的费用差不多。

8 由拉芙林水回收设施谈沙漠地区巧用水
(Boyd Hanzon 等)

两个半世纪以前,本杰明·富兰克林曾引用过这样的谚语:"当井干了的时候,我们才知道水是宝贵的。"在最近几年,美国西南部已开始认识到这句话是真理。拉芙林(内华达州的南端、莫哈韦沙漠内的一个小社区)还算幸运,井还都没有干,至少现在还没有干。拉芙林最近几年发展迅猛,为了避免将来出现水这种关键性资源的缺少,就需要巧妙地对它的水资源进行管理。

拉芙林位于内华达州拉斯维加斯市以南 145km 处,邻近科罗拉多河。该河是拉芙林社区的用水水源,也是一个旅游胜地。拉芙林确实是沙漠中的一个绿洲。科罗拉多河的娱乐价值(内华达州的娱乐财产)和拉芙林邻近亚利桑那州与南加利福尼亚的地理位置极大地促进了拉芙林旅游业的发展。

8.1 环境

拉芙林冬季温和,夏季炎热,全年天气干燥,年平均降水量仅101mm,局部大雷暴雨通常发生在 7~9 月季风季节。拉芙林地区的实测气温,冬天最低气温为 10℃,夏天最高气温为 70℃。夏季一般会有几天的气温保持在 67℃ 以上。

这种干燥而温暖的气候是吸引那些寻找地方躲避严冬的旅游者的主要因素,这也使得保护和管理水资源的明智举措成为迫切需要。

拉芙林的自然环境受限于可供开发的有限的土地数量。这个地区的大多数土地属联邦政府、内华达州或南加利福尼亚爱迪生电力公司所有。因此,土地成本很高且可供利用的土地很少。

土壤特性同该地区主要土地类型(冲积扇和河流的洪泛平原)有着紧密关联。在冲积扇和排水干河床,土壤结构从细壤土质泥沙到粗颗粒花岗岩砂,种类繁多。土壤对回收水的再利用没有特别的限制,只需遵循一般的土壤管理惯例。

由于水质差和抽水要求的限制,拉芙林地下水利用很少。尽管地下水的水质不是特别好,但回收水再利用对地下水水质的影响仍是受到管制的,并处在严密的监测之中。

8.2 人口

目前,拉芙林是一个拥有 7 500 多常住人口的社区。周末来这里赌博的超过 30 000 人。这个镇现在有 9 个大的牌戏馆,已变成美国年收入第 4 大的赌博中心(列在拉斯维加斯、亚特兰大城和里诺三者之后)。目前有 8 000 多个旅馆房间供客人住宿。

1983 年兴建中心水利系统和废水系统时,常住人口仍只有约 100 人。自那时起,小镇就开始繁荣起来,社区得到不断的完善。除供水和废水处理设施外,还建设或改进了高校、市民活动、中心、运输、消防站、图书馆、公园和娱乐设施。20 世纪 80 年代中期发展最快,当时人口每年增长近 20%。近年来人口增长率已呈下降趋势,这也反映了美国经济发展速度减缓。人口增长受制于公共设施容量,因而公共设施建设是必然要求。

预计拉芙林人口在未来不会有太多的增长,这是地区兴起城镇的特点使之然。不过,拉芙林发展前景继续看好,因为赌博业和旅游业仍然有很大发展空间。目前发展减缓只是暂时的停顿,前景是看好的。克拉克县规划局预计 2005 年以前拉芙林人口每年增加 500 ~ 1 000 人。

该镇的就业机会绝大部分集中在赌博业和南加利福尼亚电厂。

8.3 水源

内华达州是美国最干旱的州,整个州的水资源极为有限。地下水是其重要水源,科罗拉多河则是南内华达的主要水源。

根据美国国会 1928 年通过的科罗拉多河协定,加利福尼亚州可获得科罗拉多河的水量为 54.3 亿 m^3/a,亚利桑那州为 34.5 亿 m^3/a,内华达州为 3.7 亿 m^3/a。科罗拉多河河水的分配现在由美国垦务局来管理。在 1928 年对科罗拉多河水资源进行分配时,没有人料想到在内华达州能发展旅游业。

科罗拉多河河水分配计划有一个独特之处,就是可以透支用水。这样内华达州在科罗拉多河的年引水量就可以超过 3.7 亿 m^3/a,只要将水量减去回注到该河的水量不超过 3.7 亿 m^3/a 的分配额。目前,拉斯维加斯和克拉克县环境卫生管理区(CCSD)把经过处理的废水排入拉斯维加斯河(科罗拉多河的一条支流)。拉芙林目前是将废水在地表消耗,而不是回流到科罗拉多河。

回收水再利用会对饮用水处理和配水系统产生有利影响,特别是在夏季当灌溉成为最大用水需求时,用回收水满足一部分峰值用水需求的有利影响就尤为明显,水处理和分配设施的扩容压力就会减小。

8.4 水需求

目前农业用水仍然是内华达州及与其相邻的加利福尼亚州和亚利桑那州的主要用水需求。如 1990 年内华达州农业用水就约占全州用水的 83%。而拉芙林基本上没有农业用水,只有极少美化自然环境的灌溉用途。拉芙林的绝大部分用水是生活、商业和工业用水。

8.5 供水

在拉芙林的沙漠环境中,水是社区的生命血液,且能否获得水是发展的关键因素。拉芙林的主要水源是地下水和科罗拉多河河水。

1983年兴建社区供水系统时,地下水就占据着举足轻重的地位。利用两个抽水站抽取河岸冲积层中的原水,原水经处理厂处理后分配到社区。这种水的铁和锰含量高。出于对水质、用水可靠性的考虑和水量的需求等因素,有关部门新建了地表水处理厂来代替原来的系统。新厂于1992年建成,耗资约2 000万美元,流量为15Mgal/d。

拉芙林位于拥有98.7亿 m^3/a 水量的科罗拉多河附近,却只能利用1 600万 m^3/a 的河水,这真让人有点啼笑皆非。这是由于该河仅有3.7亿 m^3/a 的水量分配给了内华达州。即便找到了新的水源,随着南内华达其他社区水需求的日益增加,水的供求矛盾也会加剧。

科罗拉多河河水的水质通常较好,适合饮用和灌溉。由于上游的米德(Mead)湖和莫哈维湖(Mohave)蓄水,科罗拉多河拉芙林河段的混浊度很低,一般小于1.5NTU且水质稳定。高质量的河水表明排到该河的回收水符合严格的水质标准。

8.6 水的用途

大本德(Big Bend)水管理区的水需求主要是居民用水和商业用水。到1993年7月,平均水需求已达到约678万 m^3/a,约占拉芙林的原则总分配额的42%。

尽管用科罗拉多河河水来满足这个需求量尚显游刃有余,但有两个因素却不得不考虑。其一是管理上的限制。大本德水管理区和科罗拉多河委员会(负责管理内华达州科罗拉多河河水分配的州机构)间现有的合同,科罗拉多河河水只能用于拉芙林居民用水而不能用于灌溉。其二是经济因素。目前饮用水的价格是0.51美元/m³,而再利用水的价格比这个价格低一半。

8.7 废水的数量和特性

目前该区的废水流量平均约为 10 640m³/d。流量有季节性的变化,峰值流量一般出现在夏季中的几个月。历史上拉芙林废水的平均特性量为:
- BOD$_5$:330mg/L
- TSS:300mg/L
- 总磷:9mg/L
- 氨-氮:28mg/L
- TKN(以 N 计):49mg/L

8.8 废水利用的选择

可供拉芙林使用的水量有限,水的需求却随着社区的发展日益增加。因此,需要对水加以巧妙利用。

原先是采用活性淤泥工艺把水处理到二级,然后使用中心灌溉设备把经处理的废水用于土地灌溉。这是一种功用不大的活动,由于在拉芙林的沙漠环境中不可能发展灌溉农业,此举功效甚微。用于灌溉的水渗入地下使得地下水的硝酸盐含量加大,这一现象值得关注。

在 20 世纪 80 年代后期,克拉克县环境卫生管理区规划把处理系统扩大到 15 200m³/d,优化利用水资源。首先,该管理区开始进行设施规划研究,以确定再利用方案、各种用途所要求的不同处理等级以及相关费用。初步评估表明,处理容量视所采用的处置方法和处理要求而不同,废水处理能力应为 22 800～38 000m³/d。回收水可用于:

·美化自然环境的灌溉；

·工业再利用；

·排放到河中。

美化自然环境灌溉是可行而有益的废水利用。拉芙林地区灌溉用水需求量有限，仅在商业区和公园有少数环境美化区，设计的沙漠环境中的多数环境美化区都尽量降低了用水要求。

工业再利用也受当地用水工业用户数目的限制。即便如此，工业用水的需求仍大于供给。只是由于政治和水权问题，使得工业再利用放在将来考虑可能更为适宜。

排放到河中是有益的再利用方式。因为把经过处理的废水注回河中，拉芙林当局就会得到再次透支使用水量的信用。

对各种废水再利用方式的研究结果表明，对拉芙林来说，目前最可行的再利用方式是将回收水排放到河中。

8.9 处理工序

在进行处理系统扩容设计之前，大本德水管理区需要取得全国污染物排除系统（NPDES）排放许可证。为此，该水管理区向内华达州环保处（NDEP）申请了全国污染物排除系统排放许可证。

早期同当地商界领导讨论确定的双方主要关注的问题是，排放水对河水水质和河景（社区惟一重要的财产）的影响。拟定的排放位置正处在大娱乐场和旅游区的上游，更增加了对排放水影响的顾虑。如用其他排放点来替代，但费用最少的替代排放点也比最初拟定的排放点多出 200 万美元以上。环境卫生管理区表示，如果有关各方愿意提供必要的附加资金，排放点位置可作变动。经过评估之后，决定仍用原先拟定的排放点，按对河流影响最小的方式设计处理设施、排放口和排放设施。

同 NDEP 讨论的初步结果是回收的水质必须满足以下限制条件才可发放许可证：

· BOD_5：30mg/L

· TSS：30mg/L

· 粪便大肠杆菌：23cfu/100mL

· 氨-氮*：0.02mg/L

· 硝态氮*：1.1mg/L

· 磷：0.85mg/L

· 氯：0.1mg/L

其中，*表示氨和硝酸盐须限制在排放点下游322km处的河中进行测量。

为了满足这些排放要求，特别是满足对粪便大肠杆菌、磷和氮的限制，必须进行三级处理。

考虑了几种不同的处理工序方案。环境卫生管理区希望把新的设施限于现有处理厂，这就给设计带来一些约束。厂址和预算使得新设施的容量只能选定为 30 400m³/d。所选择的处理系统包括下列处理工序：过筛、水流均化、带硝化和脱硝作用的活性淤泥、添加化学制剂、三级沉淀、过滤、氯化、脱氯。

附加设备包括：使淤泥变稠的溶气上浮设备、掺气淤泥储存设备、淤泥离心去水设备和碱性淤泥稳定化设备。设置了臭气控制设备，尽量减少处理厂发出的臭气。现有管理大楼、试验室、掺气池、澄清设备、淤泥稠化设备和氯化设备等都加以重复利用。

处理系统拟用来生产水质极优的水。这不仅是满足排放要求所必需，而且也是保持社区赖以生存的原有水资源所必需。

处理设施的建议方案也能满足其他再利用用途的水质要求。灌溉之后立即允许公众进入的环境美化灌溉区，其灌溉用水的水质要求为：

· BOD_5：30mg/L

· TSS：30mg/L

· 粪便大肠杆菌：2.2cfu/100mL

·总大肠杆菌：23cfu/100mL

工业再利用水水质要求由于其用途的多样性不太容易确定。在拉芙林地区工业再利用水主要用于冷却。因而水中磷的含量尤显重要。这种工业用途的水质要求为：

·BOD_5：30mg/L

·TSS：30mg/L

·磷：1.0mg/L

排放到河中的回收水，其水质应满足或超过所有其他再利用用途的水质要求。因此，只要回收水能达到排放所要求的处理水平，也就满足了其他再利用用途的水质要求。

在处理工序公示期间，公众对把回收水排放到河中提出了大量反对意见。持反对意见者，既有关注排放水对原有河流水质影响的个人，也有下游的公用水大用户，这些大用户担心排放的回收水会影响顾客的安全和健康。意见中既有彻底反对的，也有要求加以更严格监控的。许多人抗议把回收水排放到河中，认为这样做会损害他们赖以生存的优质河水。也有人不赞成花这笔钱。

为此，环境卫生管理区进行了一次公众教育运动以尽可能达成共识。管理区派代表参加了对该工程感兴趣的政府组织或非政府组织召开的会议。其目的是通报情况并消除误会。参加会议的组织范围很广，包括业主委员会和服务组织和拉芙林镇委员会。每次会议都是先作正式的介绍然后解答问题，并举行一些专门的会议，向一般公众通报情况并请他们提意见。

鉴于公众的高度兴趣，NDEP安排了一次正式的关于排放许可证的听证会。听证会允许许可申请人直接说出自己的成熟想法。听证会在拉芙林举行，由NDEP主持，会上首先由NDEP和环境管理区作简短的介绍，然后由有关各方进行介绍或说明。NDEP的只是对处理工序和排放回收水的性质略作介绍，环境卫生管理区重点介绍了下列问题：

·处理厂扩容的必需性；

·研究过的处理方案和处置方案；

·拟定的处理水平；

·处理系统的可靠性；

·拟排放到河中的回收水的水质；

·排放水对河流的影响。

听证会的与会者异常踊跃,许多人反对发放许可证。大多数人担心水质变坏或拟兴建的处理设施影响经济。

听证会之后的 30 天为公众评论时间。在评论期结束时,NDEP 对业已提出的各种问题作了正式回答,对拟发放的许可证作了一些改变并进行了公示。所作的改变包括把 BOD_5 从 30mg/L 减至 15mg/L,还规定了进行为期 90 天证明性运行的要求,即在向河中排水之前新的处理设施须运行 90 天以证明其能满足排放要求。环境卫生管理区对这些变动没有异议,因为拟建处理系统可以满足这些较严格的限制,而这些改变不会给环境卫生管理区及其客户带来附加的费用。

8.10　处理系统

拟建的处理系统可以满足所有可能的再利用用途的水质要求。

8.10.1　废水处理

当原废水进入处理系统时,用机械筛过筛以除去固体物质。现有铁栅筛长期以来一直让系统运行人员头疼,因为这种筛效果不好,维护困难,并有臭味。新筛的筛孔比原筛的小得多,可多拦截一些固体物质,并被封闭在一个抑制臭气的房子内。从筛房抽出的气体在臭气净化设备中加以处理。

废水在经过过筛和流量测量之后,流入水流均化池,然后被泵入活性淤泥系统。设置水流均化池是为了消除来自收集系统主要泵站的峰值流量的影响。均化池用盖盖住,并对从中抽出的气体加以净化以减少臭味。

8.10.2 活性淤泥

处理系统的核心是活性淤泥工序。扩容工程利用了现有的氧化槽式的通气池并增加了补充通气设备,以适应系统容量从 15 200 m^3/d 增加到 30 400 m^3/d 所要求的需氧量。原先这种系统一直按扩充通气方式运行,水体在通气池内滞留近 40h,完成硝化作用。系统容量的增加将有效地把通气池设计水体滞留时间减至原来的一半。该方案给活性淤泥系统增加了缺氧池和混合液体重复循环泵的容量以利于脱硝。

8.10.3 除磷

在第三级工序中,采取添加硫酸铝和聚合物的方法来除去磷。给二级澄清池的出流加硫酸铝。凝聚、絮凝和沉定是在固体加速澄清池中进行,澄清池的出流则用连续反洗过滤器加以过滤。

8.10.4 消毒

过滤器的出流用气态氯进行消毒。废水排入河中之前,用二氧化硫除去氯。在氯催化池的末端设有出流贮存池,用来拦截最后阶段处理中产生的泡沫。

8.10.5 排放

排放水从出流贮存池水面下抽取,且被输送到河里的排放管,该管被设计成满流。这样可尽量减少泡沫的产生。排放是用安装在公路桥桥墩上的一系列水下扩散器来完成的。

8.10.6 其他再利用方式

可采用多种应对措施来适应各种再利用形式以减少运行费用。如再利用水的水质不要求脱硝和去磷时,这些设备均可拆除。但是处理的灵活性不可能达到完全按照众多用户的不同需求来变化。因此,只要将水处理到能满足最严格的要求就能供各种用户使用。

提供再利用管道系统以适应多种再利用抽水设备,各用户必须备有抽水设备和输水设备,以便把水输送到再利用处理场。已有的再次氯化再利用水的设备能保持再利用水中的残余氯量。

8.11 现状

新设施于 1993 年 8 月开始施工,1994 年 4 月全部建成。1994 年 1 月,开始为期 90 天的证明运行,系统性能一直很好,并于当年 4 月开始向河中排放回收水。

至今经处理的回收水水质完全符合排放水要求,废水回收水的混浊度往往在 0.1NTU 以下,有时回收水的混浊度比饮用水的还低。

拉芙林新的回收设施优化了水的再利用,从而解决了这个南内华达社区对宝贵而有限的水资源的绝大部分需求。

9 得克萨斯州南部平原回收水的有益再利用
(Henry P. Day)

60多年来,拉伯克市一直把地面应用作为废水处理的主要手段。拉伯克市的废水处置系统一直被视为一种有效的模式而得到了国内外的一致关注。然而,在20世纪80年代产生的许多问题招致了许多批评,以致人们开始置疑这种模式。经过仔细的研究并花费800万美元进行了基本的改进以后,这些问题最终得以解决。现在,拉伯克市为拥有能将全部处理过的污水加以有益的再利用的系统而颇感自豪。本文将叙述这一系统的发展过程。

拉伯克市位于得克萨斯州西北部的高原地区(一般称为南部平原),海拔975~1 067m,地形基本上是平坦的,只有较小的不规则地貌,例如小溪谷和被称为干盐湖的洼地。在多雨期间,水汇流到这些小的干盐湖内(平均每个地段一个湖)。除了雨季外,一些小溪谷(流入Brazos河)一般水流很小甚至断流。

拉伯克市处于半干旱地区,年降水量为200~1 052mm,平均为467mm。降水强度通常大而历时短,间隔时间长。因此,水被认为是很宝贵的商品,而将处理过的污水再利用于农业灌溉和其他有益用途,不仅适宜且具发展空间。

9.1 回收水地面应用的历史

1910年7月,新成立的拉伯克市政府投票批准发行5.5万美元的公债来资助开发一个生活污水系统。第一个处理厂(隐化池)位于拉伯克市境内黄屋峡谷的东缘。直到20世纪20年代中期,处理过的污水排入Brazos河双山汊口的北汊。由于处理过的污水水质差,不宜排入河中,而农村又缺水,拉伯克市开始将这些处理过的废水用于灌溉该市东区的耕地。

1937 年,拉伯克市同 Frank Gray 先生和他的合伙人达成协议,用处理过的废水(3 800 ~ 5 700m³/d)来灌溉市东区 80hm² 私有土地。灌溉面积(称为 Gray 农田)逐年扩大,到 1976 年,Gray 先生管理约 1 200hm² 土地。处理过的废水用于 Gray 农田,以及其他人所有的 800hm² 土地的灌溉。

从 20 世纪 20 年代到 80 年代,处理过的废水一直都是用做农业灌溉用水,很少有人甚至没有人对此表示关注或感兴趣。同今天的管制标准相比,这种作业的要求是很低的。1981 年以前,拉伯克市对最大的应用定额没有要求,只要不把处理过的废水排入河中即可获得许可证。毫无疑问,将回收水用于农业灌溉在早期主要是基于经济的考虑,但现在它仍是首要的回收水处理方式。然而,近几年来人们越来越重视水的再利用和水资源的保护。

9.2 娱乐或工业用水再利用

拉伯克市是把回收水用于娱乐方面的先驱,在 20 世纪 70 年代早期就兴建了峡谷湖工程。起初提出该工程是为把 13km 长的难看地段变成好维护的穿过该市的开放场地。该区域(沿着对角线横穿该市的一个浅峡谷)存在各种各样的工业土地用途,包括预制房屋作业、破烂不堪的工场和其他一些在美学上令人不悦的作业。那里还是一个非法的垃圾堆置区。峡谷湖工程由联邦拨款和地方公债基金资助,项目包括购买私有财产和迁移该区域的商业。在这个长条形公园内,建起了一系列小湖,其灌溉和补给用水由位于该市污水处置场地内的地下水井供应。峡谷湖已经变成了吸引人们到这里来野餐、散步和钓鱼的地方。这些井水也用于该市的市政设施,例如 37 孔的高尔夫球场以及足球(垒球)场等。

业已测定的污水处置场地下水体的量和质都满足峡谷工程的要求,用于二级娱乐活动(如划船、钓鱼和美化环境)是安全的。为了给峡谷工程供水,1972年在土地应用现场钻了27口井。对该工程的支持率说明公众对半干旱气候条件下的拉伯克地区水再利用的价值有了认识。

1968年,该市同农业工作者Frank Gray一道与西南公用服务公司(电力公用事业)签订合同,把处理过的污水用做Sones Station发电厂(正位于拉伯克市的东南)的冷却水(农业工作者Frank Gray是合同的一方,因为根据已有合同,他对拉伯克市的东南水回收厂的全部回收水有权使用)。合同规定,市府提供处理过的废水多达13 300m³/d。1982年,该合同协议作了修改,把处理过的污水供应总量增加到29 260m³/d。本来计划在拉伯克市东面距该市16km处将建一座燃煤发电厂,但这个新的燃煤发电厂至今仍未兴建。

9.3 新的地面应用场

1981年,当拉伯克市同拉伯奇里斯蒂安大学以及拥有1 400 hm²农场的农场主签订了土地应用合同后,就获得了另一个回收水处置场地,该农场位于得克萨斯州Wilson附近,在拉伯克市以南11km处。该合同在该大学已获得联邦拨款的情况下执行。预计该土地应用区(称为Hancock场地)可利用回收水28 500m³/d。1982年在直径为68cm的管道建成后,拉伯克市将19 000m³/d回收水输送到这个新的处置场地。

9.4 1982年的回顾

显然,从1982年拉伯克市开始向Hancock场地输送回收水之时,它在回收水的处置方面是令人羡慕的。当时,拉伯克市的一级废水处理厂生产的回收水约66 500m³/d,供应Hancock场地和SPS厂以后,只剩下30 400m³/d供应Gray农场,明显少于它以前使用的回收水量。20世纪70年代后期和80年代早期是比较干旱的年份,农民都乐于使用输送给他们的回收水。拟建的燃煤发电厂可能再需要 15 200m³/d 的回收水,当它建成后,可能的最终用量为 45 600m³/d。显然拉伯克市未来的主要问题是供应足够的回收水,以满足它的回收水合同用户的需要。

从 1982 年开始,大概为时 6 年,拉伯克市的回收水处理运作遇到了一系列问题,而这些问题的绝大部分不是规划或管理方面的问题。当时的传播对农场的管理,乃至对地面应用这种回收水处置方式持否定态度。

1982 年,Gray 将拉伯克市一个使用权为 45 年的一级土地应用场的耕作权转让他人。两年后,新业主破产,1984 年 Frank Gray 不得不重新经营这个农场。这种所有权的改变导致了农场价格的降低和财务问题,从而损害了农场的经营局面和整体运作。这对回收水在这片土地上的再利用会有许多影响。

1981 年以前,拉伯克市的"零排放"废水处置许可,对作为地面应用的回收水量没有任何限制。经过了若干年,回收水的应用在 Gray 农场下面产生了地下水体。1968 年峡谷湖工程可行性研究报告是证实这一水体存在的第一个政府文件。除了地下水体之外,该研究报告还表明在黄屋峡附近的北壁发现了泉水。在当时这似乎不是问题,因为 1968 年得克萨斯州水质局还举行听证会考虑增加第三座水处理厂。水质局通过对从用污水回收水和泉水灌溉的农场上游黄屋峡所取的试样同从农场内和农场下游地区所取渗流试样相比较发现,在黄屋峡偶发的水质变差不是因为用废水处理厂的回收水进行灌溉而引起的。

拉伯克市于 1981 年发放给东南水回收厂的许可证第一次对回收水的供应量加以限制。这是因为 Wilson 附近(Hancock 农场)的土地、SPS 电厂以及计划建造的燃煤发电厂都要用到回收水。

1984 年,得克萨斯州理工大学教授和学生们对峡谷湖工程的水质进行了研究,研究发现 Gray 农场地下水中的硝酸盐(以氮计)含量超过 10mg/L。这一地下水可能流向它处,进而污染这一地区的水井。1985年高原地下水管理区进行的研究表明,Gray农场的地下水水位同1980年相比已降低3m。最近的报告表明,地下水水位仍在下降。

9.5 购买Gray农场

为了确保回收水处理的稳定性和运作的改进,1986年拉伯克市市政府购买了占地1 200hm² 的Gray农场,并把该农场发包给原经营者(Standefer和Gray有限公司)继续管理3年。拉伯克市迅即提供物资开始修复农场中被损坏的堤防、地埂和池塘等。当时人们已认识到该市的废水回收厂需要改建和扩大,于是人们进行了大量的研究来评估拉伯克市废水处理和处置,比较了各种方案,制定出了一个能满足未来需要的规划。

9.6 各种问题

1985年,拉伯克市回收水处置中出现的问题接踵而至。由于电力需求减少,SPS减少了Jones Station发电厂的发电量,其回收水的消耗量从约2 600m³/d减少到1 900m³/d,甚至更少。拉伯克市也被告知,兴建新燃煤发电厂的计划被无限期推迟。1986年,一段时期少见的多雨而寒冷的天气使拉伯克市回收水处置问题变得很严重(1986年和1987年拉伯克县和Lynn县年降水量约1 016mm,即比平均年降水量大两倍以上)。另外,由于降雨强度较大,Wilson(Hancock农场)农民于1986年1月开始停止取用回收水。这一事件加上SPS回收水需求量的减少,拉伯克市要将每天多出的26 600m³ 回收水送到Gray农场,这大大超过它可消耗的水量。拉伯克市不得不连续两年请求得克萨斯州水委员会授权其把多余的回收水贮存在未衬砌的蓄水区。而当时该用水区只有一个仅能容纳3天多余水量的贮水池塘。拉伯克市该时期多次违反TWC许可,主要是未经授权排放回收水而破坏了蓄水区。

公众对 1987 年拉伯克市的废水处理和处置运作印象颇差。关于回收水地面应用问题的大量新闻报道、被 TWC 罚款的可能性以及地面应用区井水硝酸盐含量增高等加大了公众的关注。公众关注增大毫无疑问是由于举国上下环境意识的加强所致。当地新闻报道起到的积极作用就是告诉公众需要解决的问题,拉伯克市的一级废水处理厂需要进行大的改造和扩容,这要花费大量的资金;拉伯克市必须彻底评估各种废水处理方法和处置方案。

9.7 短期规划

1986~1989 年拉伯克市进行了大量的研究,决定无论是否选择向河中排放回收水的处置方案,都将遵照 TWC 的规定扩大并改进地面应用区域。购买了 Gray 农场之后,拉伯克市即着手获取更多土地用做回收水处置。到 1989 年,拉伯克市又获得约 $520hm^2$ 的土地,这就是说,回收水处置土地面积由 $1\ 200hm^2$ 增加到 $1\ 720hm^2$。

购买了这 $520hm^2$ 土地之后,拉伯克市开始实施其修理堤防和围栏、兴建新的管道、安装支柱式灌溉装置以及全面改善设施的计划。

1987 年,拉伯克市聘请了一名经理来管理农场,以保证能完全达到得克萨斯州水利委员会的法规和条例规定的废水处置主要目标。

1988 年 1 月,拉伯克市聘请顾问来设计改善现有设施、研究未来设施需求、帮助制定正式耕作作业和管理计划。包括灌溉安排、作物混作和轮作、回收水最终贮存要求、技术监督和推广。

另外,拉伯克市委员会在 1988 年批准出售 500 万美元证券来资助购买扩大支柱式灌溉系统的土地、兴建终端贮水水库和其他改善项目(达到得克萨斯州水委员会要求的标准)。到 1991 年,该设施已发展成一个典型运作模式。拉伯克市又购买 $1\ 200hm^2$ 耕地,把该场地的规模扩大到目前的 2 920hm²,其中的 2 530hm² 进行灌溉。以前 Gray 先生使用的 10 个支柱式喷灌装置已被改进和扩大成总计 31 个中心支柱式系统。1991 年兴建了新的 30 天贮存容量的水库和泵站以保证冰冻和(或)下雨天气条件下设施的正常运行。用于改造回收水地面应用区域的总投资目前超过 800 万美元。

9.8 长期(20 年)规划

鉴于在 20 世纪 80 年代出现的一些问题和公众反对意见,政府对是否将地面应用作为废水处理的主要手段重新进行了评价,考虑用向河中排放和新建再利用工程来替代原先的处理方法或作为原有手段的补充。1989 年 5 月,拉伯克市雇请专人准备申请 SRF 基金(TWDB 的低息贷款)的相关文件。该文件包括工程计划、渗漏(入流)研究和环境影响研究。

工程师们拟定了 7 个废水处理(处置)方案,最终选定拆除东南水回收厂的 3 个车间中最老的一个,更新现有的细流过滤器和活性淤泥车间,兴建一个能处理 34 200m³/d 的废水、水质符合向河流排放标准的新厂。

4 号新厂能处理多达 34 200m³/d、水质符合向河流排放标准的回收水来满足地面应用的应急需要,并能使回收水水质达到灌溉或工业用途的要求。利用 4 号厂生产的优质回收水的再利用规划正在制定之中。拉伯克市委员会用这种方法来实现水的再利用。

这个耗资 5 000 万美元的工程目前正在进行施工,预计 1995 年完工。新厂将能处理多达 98 800m³/d 的废水,并且使拉伯克市在今后的 15 年到 20 年间能按照各州和联邦的标准处理废水。

9.9 补救工作计划

20世纪80年代,拉伯克市专门对回收水地面应用区域的地下水聚集和水质问题进行了研究,并启动了一个为研究区内(那里硝酸盐的含量在 10mg/L 以上)居民提供瓶装水的计划,尽管这些地区的水井不一定完全地或部分地受到地面应用回收水的污染。

根据顾问工程师和农学家的资料,拉伯克市制定了地下水补救计划以期获得更新水厂的许可证。该补救计划已于 1989 年 11 月纳入拉伯克市和得克萨斯州水委员会之间的协议中。补救计划包括继续改进耕作方法、场外处置法抽取地下水、种植氮和水消耗高的作物、回收水的均匀应用、正在进行的对所有作业项目进行监测、检查和报道(包括回收水水质、地下水水质、土壤分析和应用定额)的计划。1989 年,得克萨斯州水委员会考虑对拉伯克市以前的违规做法进行罚款,但鉴于拉伯克市在回收水地面应用方面有了明显改进,得克萨斯州水委员会表示如该市能继续协议中的地下水补救计划就能免除一半的罚款。1992 年,拉伯克市被得克萨斯州水委员会评为地面应用现场运行和维护方面的双优秀城市;1993 年,得克萨斯州水开发局称赞拉伯克市在水的再利用方面做出了典范。

9.10 值得吸取的教训

20世纪80年代初期和中期,拉伯克市在土地应用方面出现的问题,并非因为回收水地面应用处置方法本身有问题,而是由于1989 年以前拉伯克市对农场缺乏管理和直接控制。还有一点就是,拉伯克市与农民的出发点有冲突:农民的惟一目标是利用农业赚钱;而拉伯克市回收水的地面应用是为了遵循规章制度,以有利于环境的安全方式处置回收水并且加以再利用。

10　废水再利用的公私合作项目

（Stephen L. Simpson，Robert K. Willet）

10.1　背景

汉诺威县的多斯韦尔地区位于该县的中北部，里士满以北约32km处。这个地区的土地被广泛用于农业、商业和工业。汉诺威县县府经办多斯韦尔地区的常规水与下水道公用事业。公用事业局负责该服务区的一个饮用水处理厂及其配水系统，以及一个城市废水收集系统和废水处理厂的运行和维护。公用事业单位按事业基金单位运作，自收自支。

在发电设施建造之前，该县的多斯韦尔服务区主要用户为皇家休闲乐园（KD）和 Bear Island 纸业公司（BIPCO）的一个造纸厂。虽然邻近 KD 的一个商业中心和居住较分散的一些居民也是该区的用户，但该县生产的饮用水和回收水的约 90% 供给了上述两个主要用户。

BIPCO 的用水量颇为稳定，需增加用水量时 BIPCO 会从它的自备水井中抽取。BIPCO 有它自己的废水处理厂，经处理的废水排到与县府经办的多斯韦尔废水处理厂共用的排放口。一般说来，BIPCO 的用水量和废水量在冬季几个月（10～次年 3 月）稍多一些。

相反，KD 的用水量和废水排放量则多有变化。这是休闲乐园经营的季节性造成的。每年 5～9 月，乐园每天开放，特别是周末用水流量和废水流量都达到最大。4 月和 10 月，乐园只在周末开放，流量中等。2 月和 3 月，设备为下一个季节做准备。11 月到次年 1 月，KD 的用水量和废水排放量降到峰值的 10% 左右。邻近

KD 的商业中心用水量和废水排放量也随之变化。

多斯韦尔的供水受到从北安那河(水源)取水允许抽取量的限制。抽取量由州颁许可证规定,以保证河水能有足够的流量稀释回收水的排放。同允许抽取量相对应,NPDES 许可证也对汉诺威县和 BIPCO 的回收水排放总量加以限制。县府和 BIPCO 各自可以排放占总量 1/2 的回收水。

多斯韦尔公司系由戴蒙德能源股份有限公司根据在峰荷需求时段向弗吉尼亚电力公司供电的发电设施进行设计、施工和运行的法规组建的。非管制的独立电力生产者的概念可追溯到 1978 年的公用事业管制政策法(PURPA)。私有的能源公司现在可以向投资者所有的公用事业公司出售电能。把 DLP 发电厂设在汉诺威县境内的决策是基于许多经济的和技术的因素,包括:有供大规模工业开发的合适场地,可获得作为燃料的大量天然气和石油,靠近弗吉尼亚电力公司的输电系统,能提供电力生产设备的用水。

在规划新的发电设施时,首先考虑了能否用汉诺威县的多斯韦尔水处理厂的饮用水满足发电厂生产用水需要的问题。在夏季的几个月,该水处理厂 7 600m³/d 水量已全部分配给现有用户。因此,必须将水厂扩容使其达到该县的许可容量限额 1.33 万 m³/d 以适应新的需求。然而,汉诺威县并不想永久扩大可饮用水的生产,而是积极地联络其他公司来完成多斯韦尔地区的规划开发项目。由于从河中抽水的抽水量限制和现有用户的需求量,多斯韦尔地区将来的需水量将大于供水量,所以利用多斯韦尔废水处理厂的回收水就提上了议事日程。因为发电设备要求有脱矿质的水用于汽轮发电,所以 DLP 发电厂计划在现场建一座可饮用水的处理厂。经过一定的处理,废水处理厂的回收水可以用来补充甚至取代汽轮发电设备所使用的可饮用水。为了从技术和经济两方面来论证这种方法的可行性,对废水的可获量、现有废水处理厂容量、发电设备的需水量,以及附加处理的标准都进行了评估和研究。1990年,县府和DLP发电厂签订了用水协议。县府同意为发电厂的运行提供可饮用水;而DLP发电厂则同意当饮用水的用户再增多时,接受县府废水处理厂的回收水来满足峰荷需求时期的用水需要,以减少其对可饮用水的需求量。

10.2 处理方法

再利用的回收水处理方法是对发电厂和县府供求双方的挑战。发电厂的生产用水主要是用来为汽轮机生产蒸汽,要求用优质的脱去矿质的水以防止设备内结垢和产生矿质沉积。因此,即使是可饮用水也必须在电厂进行处理以除去溶解固体。DLP发电厂认为,由它自己来完成脱矿处理是对于该厂最为经济的做法。两者的处理责任分别为:

·汉诺威县府提供贮存、掺气和搅动,并把处理到二级标准的回收水泵到DLP发电厂的现场。除了进行一般的回收水消毒外,还备有水的氯化设备,以控制藻类和微生物的繁殖。

·DLP发电厂提供先进的废水处理和脱矿物质的设备以满足它的生产用水要求。

这种责任划分对双方都有利。DLP发电厂可以根据需要来控制处理废水的程度,节省了开支;而汉诺威县府则仍可向其他用户供应处理过的废水。

10.3 现有的废水处理设备

多斯韦尔废水处理厂是一个二级处理厂,设计容量为3 800 m^3/d。该厂目前处理平均年流量约1 140m^3/d。在夏天,KD需水量的日流量通常达到2 280~2 660m^3/d。

多斯韦尔废水处理厂的处理工序包括过筛、去滓、初级澄清、活性淤泥、二级澄清、清毒、处理后掺气。活性淤泥设备一般是在扩大通气方式下运行的。处理厂的工序示意图见图10-1。

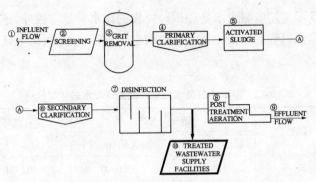

图 10 - 1　汉诺威县的废水处理设施

①—入流;②—过筛;③—去滓;④—第一次澄清;⑤—活性淤泥;
⑥—第二次澄清;⑦—消毒;⑧—处理后掺气;⑨—出流;⑩—回收水供应设备

汉诺威县的多斯韦尔废水处理厂和 BIPCO 公司的处理厂将已处理的废水混合后掺气排入北安那河。混合排放所需的国家污染物排放许可证是由弗吉尼亚州环境质量局发放的。

要求排放的混合污水月平均生化需氧量(BOD$_5$)和总悬浮固体(TSS)的浓度为 30mg/L,且周平均浓度不得超过 45mg/L。一般说来,二级处理厂始终如一地在限值允许的范围内运行。表 10 - 1 列出了 1990～1993 年 4 年记录的年平均流量和排放的污水特性。

表 10 - 1　多斯韦尔废水处理厂年平均流量和经处理的废水的特性

参数	1990 年	1991 年	1992 年	1993 年
流量(kgal/d)	300	260	250	250
BOD$_5$(mg/L)	8.0	5.8	8.1	9.6
TSS(mg/L)	18.6	16.1	12.6	11.7
NH$_3$(mg/L)	0.7	1.6	1.8
TKN(mg/L)		3.1	4.8	4.6
磷(mg/L)				0.7

除了定期监测废水处理厂经处理的废水质量参数外,还进行专门监测以确定有关的其他参数的水平,表10-2列出了这些参数值。

表 10-2 多斯韦尔废水处理厂经处理废水的化学分析

参数	范围[1]		设计值[2]
	最小值(mg/L)	最大值(mg/L)	(mg/L)
Na	126.100	260.00	192.00
K	7.50	21.00	18.30
Ca	5.40	26.60	15.70
Mg	0.20	3.90	3.00
CO_3	0.00	0.00	0.00
HCO_3^-	225.70	451.40	258.48
Cl	36.30	180.00	101.00
SO_4^{2-}	31.00	128.00	128.00
NO_3^-	18.16	167.40	39.41
PO_4^{3-}	12.26	14.10	14.10
Fe	0.10	0.55	0.55
Mn	0.05	0.05	0.05
SiO_2	0.28	7.60	7.20
TDS	466.00	940.00	766.00
TOC	0.50	54.00	33.20

注:(1)最小值和最大值的范围是根据9个月内采集的12个试样所得出的;
　　(2)所示的这些数值用做设计 DLP 处理厂的依据。硫酸盐含量对确定反渗透装置的大小起控制作用。

10.4 回收水的供应设备

废水再利用的处理设备包括把处理过的废水从出水总管引出的设备、贮水设备和抽水设备。再利用处理设备容量根据电厂满负荷发电时的最大需水量来确定,估计为 4 560m³/d。贮存已处理的废水设备应能适应处理厂流量的多变性,以便根据需求比较稳定地供水。贮水容积应约等于日需水量估算值。

经过处理的废水必须抽到 DLP 发电厂所在地,因其所在地比废水处理厂所在地高且两者距离仅约 1.6km。DLP 发电厂希望能通过加压的方法来抽取处理过的废水。根据 DLP 发电厂的贮水箱和工作水管的连接高程,规定地面高程以上的输水压力为 50psi。

因为 DLP 发电厂现场的处理设备是按照专用的处理容量和水平设计的,所以采用两步走的办法来保证废水处理厂已经处理的废水始终满足 DLP 发电厂的要求。第一步,在县府与 DLP 发电厂的供应合同中规定已处理废水的水质,因为现有处理厂一直是按照自己的许可标准运行的;第二步,设计回收水的供水设备时要求采取措施控制贮水池和管道内水流水质下降的问题。

采取了下面几种方法来防止水质的恶化。第一,在贮存已经处理的废水设备内安装了搅动和掺气装置,以保持不断搅动和供氧,防止腐化条件的形成;第二,把贮水设备的形状设计成按水流通过的方式进行换水,以尽量减少平均停滞时间;第三,设置采样设备,以便监测贮水箱中的水质。

从保证水质和运行方便的角度来看,灵活处理那些回收水是很重要的。如要恪守排放许可的限制,必须具备把贮存的处理过的废水重复循环到处理厂前池或排放口的能力,并配备可以回流的回收水输送,以便在电厂长时间停止运行时尽量降低这些管道中产生腐化物的可能性。

即使具备了搅动、掺气和处理回收水这些措施,水质恶化的可能性仍然存在。为了解决这一问题,在运行中应增加消毒设备对已处理的废水进行定点氯化。然而,如果已处理的废水在厂内重复循环,那么多次氯化可能对活性淤泥工序产生有害的影响;如果把这种已处理的废水排放掉则将违反排放规定。因此,只能对贮存的水或者供应管道中的回收水加以氯化。图 10-2 为回收水供应设备示意图。

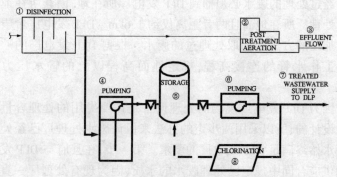

图 10-2 汉诺威县回收水供应设备
①—消毒;②—处理后掺气;③—出流;④—泵房;
⑤—贮水塔;⑥—泵房;⑦—回收水供应至 DLP;⑧—氯化

10.5 DLP 的回收水厂内处理

根据生产用水水质要求对回收水进行处理。图 10-3 为 DLP 发电厂生产用水处理设备示意图。DLP 发电厂的水处理设备既可接收可饮用水,也可接收经过处理的废水。澄清和过滤是处理非饮用水用途的回收水工序。

DLP 发电厂的给水和废水排放设备为"零排放"标准,以尽量减少生产用水量,并消除废水排放。此外,该厂还设有一个旁路系统来回收废水。图 10-4 为回收支线处理工序。

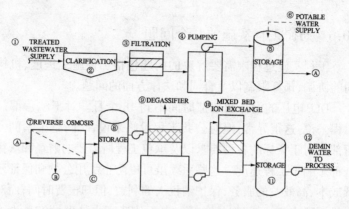

图 10-3 多斯韦尔混合循环设施处理过程

①—回收水供应；②—澄清；③—过滤；④—泵房；

⑤—贮水塔；⑥—供应可用水；⑦—反渗透；⑧—贮水塔；⑨—脱气器；

⑩—混合层离子交换；⑪—贮水塔；⑫—脱矿质水输至生产过程用水工序

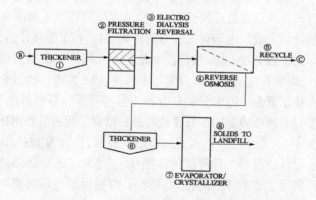

图 10-4 多斯韦尔混合循环设施再循环水流

①—浓缩器；②—加压过滤；③—电分解转换；④—反渗透；⑤—再循环；

⑥—浓缩器；⑦—蒸发器/结晶器；⑧—运至填土场的固体物质

10.6　妨碍工程实施的几个问题

工程实施过程中需要解决的问题包括加快施工进度、机构之间的协调、预算限制以及合同和法律方面的问题。

DLP电厂的设计和建造时间不到18个月。对于私营部门的工程来说,这很寻常;但对公共工程设施来说,时间是很紧的。政府部门对于竞标的各种要求以及承包工程所需要的财经和法律审查都影响了工程速度。这些手续虽可以防止乱用公款和保证政府低成本、高效益的服务,保护纳税人的利益,但却很费时间;而对私人投资者来说,时间就是金钱。由于建造废水处理设施是为了满足DLP电厂生产用水的需要,因而县府工作安排是根据DLP电厂的工程计划来确定。为了适应该计划,县府将工程分成多个施工标和多个采购标。设计需时短的工程安排立刻投标,设计需时长和批准过程长的工程安排稍后投标。此外,制造准备工作需时长的设备将根据安装的施工合同,单独购买。在工程的关键阶段将每周召开各承包商的进度会议,以保证现场问题迅速解决和施工任务按计划完成。由于有关各方的密切合作,该工程按计划完成。

同大多数工程一样,预算控制是一个大问题。根据工程的初步设计,对新设施的各个项目编制了预算,DLP发电厂通过它的贷款人安排了资金。因为公私双方都不容易筹得预算以外的资金,所以工程必须按确定的预算建造。最后结算工程的总费用比预算总额少4%。费用之所以能得到有效的控制,是因为Black&Veateb在初步设计阶段对工程所作的详细规定,绘制了非常详细的设计图纸并撰写了非常详细的技术说明书,对提供给各承包商的施工图进行了彻底的审查,并在施工过程中不断地进行现场检查。

由于参加工程的各方通常都未参与公用工程项目。因此,密切协调所有参与各方的活动对该工程的成功完成极为重要。业主、工程技术人员、施工承包商和发放许可证的政府机构的日常工作,受到了私营 DLP 发电厂及其设计公司、施工公司、计划管理者以及投资人等的影响。DLP 发电厂打算只为自己所需要的供水设备投资。为此,双方进行了多次协商,说明为了配合 DLP 发电厂的供水设备,县政府必须扩大原有系统。工程服务和施工条款都经详细地拟定,条款赋予 DLP 发电厂某些权利,又不使它成为合同的直接一方。DLP 发电厂对设计施工上的改变进行审查,且必须对其审查意见加以考虑并作答复。此外,进度款的偿付须通过 DLP 发电厂批准,从而延长了付款时间。这些例子只是整个工程需要协调问题的一小部分。

该工程还涉及一些重大的合同问题。为了保护县府和 DLP 发电厂的利益,需要签订一个长期的供水协议。该协议包括储备容量和设备成本分摊的使用价格结构,在确定回收水(经过处理的废水)使用价格中应考虑补偿县政府运行和维护回收水供应设备的费用,但不包括按照 NPDES 许可证要求来处理废水的费用,因为这些回收水不是供给 DLP 发电厂。

11   地区/机构间的合作是实现美国
最大的废水再利用计划成功的关键

（Richard W. Atwater，James F. Stahl）

　　在半干旱的洛杉矶地区,三分之二的供水需要从百里以外引入。因此,落实可靠的水源是当务之急。洛杉矶县环境卫生管理区长期倡导水再利用,并在这方面进行了长期的研究,这种研究有利于回收废水的处理、分配和再利用。

　　早在 1949 年洛杉矶县就认识到水回收的可能性。当时县环境卫生管理区与县工程师协会和县公用工程局(以前为防洪管理区)协作进行了一项创新的研究。该项研究报告详细论述了水回收的特点,其中大多数已纳入今天的水回收计划。例如:

　　·兴建水回收厂,同现有的处理设施相结合,采用已行之有效的处理工艺并与环境卫生管理区的下水道系统配套使用,是提高该管理区海洋处置设施处理容量的可取方案。通过利用海洋处置设施(称为联合废水控制厂)的固体物质处置设备取代在每个回收厂兴建和运行这样的设备来达到节省的目的。

　　·将水回收厂布置在工业化程度比较高的上游,以便处理绝大部分居民生活污水,生产质量较高的回收水。为了进一步改善水回收厂回收水的质量,某些工业废水要在回收厂附近设置旁路,且整个环境卫生管理区系统要实施工业废水预处理。

　　·回收厂生产的回收水,其质量应能用于农业和美化环境灌溉、制造业和工业制冷、娱乐活动、地下水回灌以及州条例允许的其他用途。

　　1958 年发表的第二个合作报告详细介绍了在惠蒂尔纳罗斯

防洪区兴建废水回收厂(WRP)的情况,证明回收水处理是水再利用的有效途径。1962年8月,3.8万 m^3/d 的惠蒂尔纳罗斯水回收厂投入运行,为地下水回灌提供回收水。1963年,美国土木工程师协会将该厂评为三个头等工程之一。

惠蒂尔纳罗斯水回收厂的成功,促使洛杉矶低洼地区作出了兴建另外4个水回收厂的决策,目前这4个厂总容量约72万 m^3/d。这些水回收厂生产了大量有价值的水资源,且比在联合废水控制厂增加处理容量,并兴建更多更大的下水道将废水输送到增容设备要划算得多。这4个厂建于20世纪70年代早期,几年后又增加了惰性介质过滤器,升级为三级处理。升级以后,生产的回收水能满足加利福尼亚州更严格的非限制性用水标准,并达到联邦和州关于重金属、农药、微量有机物、主要矿物质和微生物方面要求的饮用水标准。

1982年4月,奥兰治县和洛杉矶县水再利用研究项目完成。该研究包括许多回收水配水项目的详细行动方案,其中一些项目已在洛杉矶县环境卫生管理区的服务区内兴建。1976~1977年和1986~1992年的干旱促使许多其他供水商利用回收水来补充减少的可饮用水源。为了使利用的回收水取代正在使用的饮用水,已经同供水商签订了许多合同,以较低的价格出售回收水,供水商们花不多的钱即可修建必要的配水和贮水设备,把回收水输送到终端用户。目前,这样的用户有近250家。

11.1　目前状况

1993年,5个水回收厂共生产回收水超过2亿 m^3/a。在这期间,回收水的平均年直接再利用量为1 807万 m^3/a,地下水回灌为6 953万 m^3/a,年回收水再利用量为回收水生产总量的43%。如表11-1所示。

中贝森(Central Basin)、波莫纳(Pomona)地区和圣加夫列尔河谷(San Gabriel Valley)的许多机构要求添加和新增回收水再利用的数量,促进了上述研究项目的开展。6 年的干旱,在减少未来可饮水源需求方面使公众对回收水有了更多的了解,新的立法和坚决支持回收水的公众意识的提高,所有这些激发了研究地区以及整个南加利福尼亚开展水再利用的浓厚兴趣。到 2020 年,预计再利用水年需求总量达 2.43 亿 m^3,与 1993 年再利用水量 8 758 万 m^3 相比,增加了 177%。具体情况如表 11 - 2 所示。

表 11 - 1   1993 年水再利用情况

回 收 水	水 回 收 厂					
	波莫纳	圣何塞溪	怀特峡谷	洛斯凯奥特斯	长滩	总计
产水量(万 m^3/a)	1 823	10 131	1 554	4 552	2 191	20 251
再利用量(万 m^3/a)	920	165	5	361	356	1 807
回灌量(万 m^3/a)	802	4 763	1 387	无	无	6 952
再利用总量(万 m^3/a)	1 721	4 928	1 392	362	356	8 756
再利用百分比(%)	94.4	48.6	89.6	7.9	16.3	43.2

表 11 - 2   洛杉矶县环境卫生管理区洛杉矶盆地年水再利用量

机 构	现在(万 m^3/a) 1993 年	预测(万 m^3/a) 2020 年
波莫纳水利局	739	2 318
沃尔纳特河谷水管理区	180	567
罗兰德水管理区	0[(1)]	246
西科维纳市	0	492
工业市	117	345
上圣加夫列尔河谷工厂与开发部	0	771
上圣加夫列尔河谷(回灌)[(4)]	0	3 450
南加利福尼亚水回灌区(回灌)	6 950	3 083

机 构	现在(万 m^3/a) 1993 年	预测(万 m^3/a) 2020 年
各种各样的其他用户	54	1 147
中贝森工厂与开发部 - 里奥洪多	0	3 083
塞里托斯市	258[2]	492
中贝森工厂与开发部 - 世纪	103[3]	1 234
长滩水利局	356	987
阿拉米托斯·巴里尔	0	1 234
合计	8 757	24 300

注:(1)由沃尔纳特水管理区供应;

(2)包括莱克伍德;

(3)包括贝尔弗劳尔;

(4)包括圣加夫列尔河谷工厂与开发部。

11.2 西贝森城市水管理区和中贝森城市水管理区

西贝森城市水管理区和中贝森城市水管理区位于洛杉矶县的海岸平原,两者均为南加利福尼亚城市水管理区机构成员,其年供水量的三分之二来自城市水管理区引水输水系统。水管理区的其他水源是当地的地下水和回收水(回收废水及再利用)。两个水管理区都是根据加利福尼亚州城市水管理区特区法由公众选举建立的(西贝森水管理区组建于 1947 年,中贝森水管理区组建于 1952 年)。两个水管理区的管辖范围包括 40 多个城市在内,总人口约 240 万。水管理区把水批发给大约 50 个独立的水公用事业机构。

两个水管理区由各自选举的 5 人董事会管理,但共用一套行政与技术人员。为了节省费用,两管理区的水管理计划和水回收工程大多进行联合管理。

西贝森城市水管理区和中贝森城市水管理区拥有美国目前正在设计和施工的最大水回收工程。这些工程对南加利福尼亚具有多种效益：

　　·提供更可靠的水源和使减少配给水成为可能；

　　·降低工业用水(例如精炼厂、航空航天公司、纺织制造)价格，鼓励不搬迁；

　　·提供新的就业机会并改善老化的水公用系统基础设施(南一中洛杉矶各社区中，失业率在美国是最高的)；

　　·减少从北加利福尼亚(包括莫诺湖流域和萨克拉门托河谷三角洲地区)引水，两个水管理区帮助解决州范围内的用水问题，且有助于保护北加利福尼亚的鱼类和野生生物资源。

　　水管理区的水回收工程已得到环保部门、社区和商业集团广泛的公众支持。水回收工程也有助于地方政府合作。拥有和管理海佩约(Hyperion)废水处理厂(西海岸最大的废水处理厂)的洛杉矶市，已同西贝森市签订了废水供给合同，作为回报，每年要提供3 084万 m³ 经处理的回收水供西贝森市使用。此外，中贝森工厂与开发部已同洛杉矶县环境卫生管理区签订了通过112km 长管道系统每年供应1 850万 m³ 回收水的合同。南加利福尼亚城市北管理区已同意为这些工程按 8 美元/m³(总共超过 2 亿美元)生产和再利用回收水出资。为了保证这些水回收工程在财务上可行，水管理区已按年征收财产所有者的水备用费。这样，每年可增加约 0.13 亿美元来支付公债债款，直至出售回收水足以支付年运行维护费用及公债债款为止。

11.3　中贝森水回收工程

　　中贝森城市水管理区的水回收方案由世纪(Century)和里奥洪多(Rio Hondo)两个回收水工程组成。

　　世纪回收水工程包括兴建长约 56.3km 的回收水配水管道，为下列城市服务：汤尼(Downey)市、贝尔弗劳尔(Bellflower)市、帕拉芒特(Paramount)市、莱克伍德(Lakewood)市、诺沃克(Norwalk)市、康普顿（Compton）市、南盖特（South Gate）市和圣菲施普林格斯（Santa Fe Springs）市。目前，环境卫生管理区将洛斯凯奥特斯废水回收厂 14.2 万 m^3/d 的回收水提供给综合需求量为 420 万 m^3/a 的 50 多个场所。最终，到 1995 年元月，要将回收水提供给综合需求量约为 840 万 m^3/a 的 100 多个场所。该工程建设总费用估计为 0.235 亿美元。

里奥洪多水回收工程包括长度 74km 以上的配水管道、里奥洪多泵站和弗农（Vernon）泵站。环境卫生管理区将圣何塞溪（San Jose Creek）水回收厂 38 万 m^3/d 的回收水输送到怀特、皮科·里韦拉（Pico Rivera）、圣菲施普林格斯、科默斯（Commerce）、蒙特贝罗（Montebello）、弗农、洛杉矶亨廷顿帕克区（Huntington Park）、卡德希（Cudahy）和南盖特等城市和地区，将约 1 600 万 m^3/a 的回收水输送到 170 多个场所。供水管道（包括规划到各个用户的侧向管道）建设总费用估计为 0.45 亿美元。

11.4　西贝森城市水管理区的水回收工程

1990 年 7 月，西贝森城市水管理区开始实施西贝森回收水工程方案的规划/可行性研究。1991 年 2 月，确定了可行方案，并着手实施。工程造价约 2 亿美元，工程完工后最终将可提供 1.2 亿 m^3/a 的回收水。

为了完成水回收工程规划任务，签订了两个协议。其一是西贝森城市水管理区同洛杉矶市就海佩约废水处理厂供应已处理废水签订协议，该协议于 1992 年 6 月由西贝森工厂与开发部董事会和洛杉矶市政委员会签字生效。其二是西贝森城市水管理区同南加利福尼亚梅特罗波里坦（Metropolitan）水管理区就其本地工程签订协议，按 8 美元/m^3 计价（25 年 8 635 万 m^3，共计投资 2 亿美元以上）投资，该协议于 1991 年 6 月签订。

西贝森水回收工程包括：设在洛杉矶市的海佩约水处理厂（该

工程的生活废水水源)泵站、一条直径为 1.5m 的压力干管、一座处理设施及配水管道系统。该工程生产两种不同水质的水,供三种不同类型(美化环境灌溉、工业生产用水和地下水回灌)的用户使用。

采用输送能力为 34 万 m^3/d 的泵站将二级回收水从海佩约泵送到西贝森处理厂。为了将二级回收水从海佩约输送到 8km 以外的西贝森处理厂,将要建造直径为 1.5m 的压力管道。

为了把回收水输送到终端用户,将兴建遍布整个南港湾地区的配水管道系统。最终,将在各海岸城市街道右侧修建总长 96km、直径为 15～90cm 的压力管道。

西贝森处理厂将生产的第一类回收水通称为 Title 22,其处理水平按州水法规的有关条款进行。在海佩约,生活废水已经过两级处理工序。在西贝森处理厂生产 Title 22 水前,原水已经进行了一次过滤处理。在配水供给再利用之前,用氯杀死 Title 22 水中残留的细菌。Title 22 水将被用来灌溉学校草坪、公路和道路路中区、高尔夫球场、墓地和公园。Title 22 水也用做工业生产用水、冷却塔补充水。工业生产过程的废水将返回到环境卫生管理区下水道系统进行再处理,并在环境卫生管理区联合废水控制厂进行处置。最终,在南港湾和洛杉矶地区,将生产出 9 251 万 m^3/a 的 Title 22水供其再利用。

西贝森处理厂将生产的第二类回收水是海水过滤处理的地下灌注水。因为这种水最终将作为饮用水使用,所以它必须满足比 Title 22 水更严格的水质要求。为了在西贝森处理厂生产地下灌注水,原水要经过三重附加处理工序,即石灰澄清、过滤和反渗透(从所有高级处理工序流出的废水都将返回到海佩约厂作再处理和处置)。此外,这种水在配水前要进行氯化杀菌。地下水灌注水非常清洁,在配水前可与引进的成品水混合。最终,将有 3 083 万 m^3/a 的这种水供西海岸贝森地区使用。

12 坦帕水资源回收工程

（Julie Hemmer 等）

　　开发水资源回收工程是为了满足坦帕市和西海岸地区水资源管理局（WCRWSA）未来的水需求。拟建工程包括对霍克斯角（Hookers Point）高级废水处理（AWT）设施处理过的废水进行补充处理，使水质达到希尔斯伯勒（Hillsborough）河原水供水所许可的水质标准。为了评估补充处理的要求、性能、可靠性和质量，已设计、建造了一个试验处理厂，并已投入运用。试验处理厂方案的主要目的是测试所选定的补充处理系统回收废水，间接补充地表水，进行水的再利用。

　　在试验处理厂运行过程中，评价了 4 个单位工序系列。实施了广泛的分析性监测和毒物学测试方案，以达到下述目的：

　　·筛选出最可靠且最经济、能生产相当于或优于现有水源原水的工序系列；

　　·针对公共卫生要求，将回收水水质同希尔斯伯勒河原水水质进行比较。

　　本文介绍试验项目的结果及根据试验结果所提出的建议。

12.1 背景

　　坦帕市早就认识到霍克斯角高级废水处理设施生产的优质回收水是城区宝贵的水资源。而且，随着城区人口增加，为了满足日益增加的生活、商业、工业和其他方面的用水需求，必须增加供水。

　　坦帕市进行了两项初步研究和试验工程，研究经霍克斯角高级废水处理设施处理的废水作为回收水源的可行性。下面几节评述以前的研究结果,供试验工程参考。

12.1.1 坦帕市的水需求

坦帕市城区对未来水的需求会持续增加。1992年,佛罗里达西南水管理区(SWFWMD)对坦帕市的供水需求作了评估。坦帕市供水需求按保守算法,是根据降低了的人均用水定额(佛罗里达西南水管理区所建议的)进行评估的。在旱季,坦帕市日均供水需求量以万 m^3 计,降低了的人均用水定额(按 $m^3/(d·人)$ 计)估计值如表 12-1 所示。

表 12-1 坦帕市降低了的人均用水定额及缺水量

年份	人均用水定额($m^3/(d·人)$)	缺水量(m^3/d)
1995	≤0.57	13 300
2000	≤0.57	29 260
2010	≤0.57	64 980
2020	≤0.57	116 280

在1992年的报告中,佛罗里达西南水管理区建议将公用供水(例如坦帕市)人均用水定额进一步降低到以前建议的 $0.57m^3/d$ 以下。即使坦帕市制定措施遵循佛罗里达西南水管理区建议的人均用水定额计划,但他们在干旱季节的供水需求量仍会超过目前可用的水源,见表 12-2。

表 12-2 坦帕市人均用水定额及缺水量

年份	人均用水定额($m^3/(d·人)$)	缺水量(m^3/d)
1995	≤0.53	无
2000	≤0.49	无
2010	≤0.49	11 020
2020	≤0.49	62 320

通过采取这些措施,加上经霍克斯角高级废水处理设施处理后提供的优质回收水,坦帕市设想通过回收和再利用经霍克斯角高级废水处理设施处理的废水来满足用水需求的方案是可行的。

12.1.2　水再利用研究

1984 年再利用研究确定了 7 种水资源回收和再利用方案,这些方案对坦帕市都具有潜在的价值,可供选择实施。通过坦帕市分水渠网扩大希尔斯伯勒水库被选为再利用霍克斯角高级废水处理设施生产回收水的首选方案。

扩大坦帕市原水水源的推荐方案示意图见图 12－1。

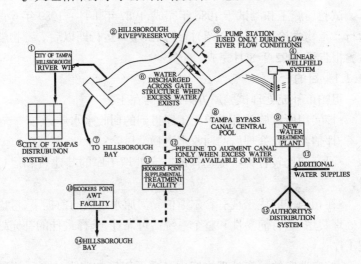

图 12－1　坦帕市和西海岸地区水源管理局扩大原水水源的方案

①—坦帕市希尔斯伯勒河废水处理厂;②—希尔斯伯勒河;

③—泵站(仅枯水期使用);④—沿线井场系统;⑤—坦帕配水系统;

⑥—当水过多时通过闸门泄水;⑦—至希尔斯伯勒港湾;⑧—坦帕分水渠中央水池;

⑨—新水处理厂;⑩—霍克斯角高级废水处理设施;⑪—霍克斯角补充处理设施;

⑫—增加渠道水量的管道(河中没有过多的水时);⑬—附加水源;

⑭—希尔斯伯勒港湾;⑮—管理局的配水系统

1985 年开展研究,力图进一步改进 1984 年水再利用研究所选定的方案,以便能最大限度地利用坦帕市及整个地区现有的水资源来满足未来的用水需求。

研究结果表明,该项目的补充处理单元是该工程可行性的最关键因素。因此,决定建造一个补充处理试验厂,通过其运行来检验 1984 年和 1985 年的水资源回收研究所得出的结论。

12.2　1986~1992 年试验厂工程

1985 年,设计完成了处理能力 $0.19m^3/min$ 的补充处理试验厂。试验厂施工和测试于 1986 年完成,1987 年 1 月~1989 年 6 月运行。毒物学检验(以后介绍)持续到试验厂运行期以后。毒物学检验报告于 1992 年 8 月完成。

12.2.1　目的

坦帕市补充处理试验厂方案的目的在于:

·核实用所试验的各个单元工序得到的回收水水质;

·评估经补充处理后的回收水毒物学风险;

·研究和比较各种可供选择的补充处理工序的基建费和运行费;

·在相当于或优于现有希尔斯伯勒河原水水质的前提下,考虑总处理费用、运行简易性和整个系统的可靠性,选择最佳的补充处理工序;

·核实选定的补充处理方案中各单元工序初步设计要采用的标准;

·保证补充处理设施的废品不超过佛罗里达州环境管理局规定的处置界限。

12.2.2　设施说明

试验厂设施包括下面 4 单元工序系列:

·预掺气、石灰处理与再碳酸化、重力过滤和消毒;

·预掺气、石灰处理与再碳酸化、重力过滤、颗粒状活性炭(GAC)吸收、消毒；

·预掺气、石灰处理与再碳酸化、重力过滤、反渗透、消毒；

·预掺气、石灰处理与再碳酸化、重力过滤、超过滤、消毒。

图12－2为所评价的4单元工序系列示意图。首先,从霍克斯角高级废水处理设施氯化前的脱氮过滤器抽取试验厂下游的入厂水流。如果试验厂的入流中氯化有机化合物浓度比较低,就把试验厂的补充处理应用于已脱氮而未氯化的出流上,而不是已氯化的出流上。

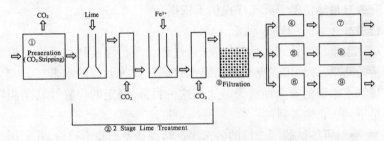

图 12－2　试验厂系统示意图

①—预掺气(除去二氧化碳)；②—两阶段石灰处理；③—过滤；④—GAC；⑤—反渗透；
⑥—超过滤；⑦—臭氧消毒；⑧—臭氧消毒；⑨—臭氧消毒

12.2.3　测试方案

为了达到试验厂的目标,确定与回收水有关的潜在卫生影响,所制订的测试方案包括传统的物理、化学和微生物参数的分析性监测和较复杂的毒物学检验(卫生影响检验计划)。

12.2.3.1　分析性监测

坦帕市处理试验厂分析性监测的目的有:

·连续监测基本工艺控制参数；

·测量美国环境保护局(EGA)和 FDER 饮水标准中所规定的传统污染物；

·饮水标准中没有规定,但公众可能关心或可用做评价工艺性能参数的污染物测量;

·把希尔斯伯勒水处理厂原水与成品水、坦帕分水渠水、霍克斯角高级水处理厂产品水和莫里斯桥(Morris Bridge)水处理厂成品水等基础水质数据进行汇编,作为试验厂产品水比较研究的依据。

对预掺气、石灰处理与再碳酸化、重力过滤、GAC 吸收和薄膜过滤等过程基本工序进行控制和连续监测。这些分析结果为确定满足现行饮水标准和建议的未来饮水标准以及其他水质要求的最有效且最经济的单元工序提供了依据。

12.2.3.2　卫生检验计划

卫生检验计划的总目标是,通过评价分析性监测和毒物学检验的结果,评估用霍克斯角高级水处理厂设施回收的水来扩大常规原水水源的安全性。为了达到这一目标,制定的检验计划须满足下列 3 个主要目的:

·对可供试验厂选择的各工序进行筛选及毒物学检验,并利用这项资料选定最适合试验厂的工序;

·使用全套完整的毒物学检验手段,评估试验厂选定工序生产的回收水可能存在的卫生影响和风险;

·将选定的产品水流同目前现有的常规原水水源的卫生风险进行评估比较。

图 12-3 为卫生检验计划的组织流程图。卫生检验计划包括对微生物污染和化学污染两方面进行广泛的分析。几个组织对所收集到的满足工程目的所必需的资料进行了分析。

由 6 个国际公认的水质和卫生问题专家组成卫生小组,以咨询方式参与了这项工程。他们的作用是从人类卫生观点出发审查该工程的范围和方向,并评价最后结果。

为了评估有关风险,卫生小组对使用回收水可能出现的卫生

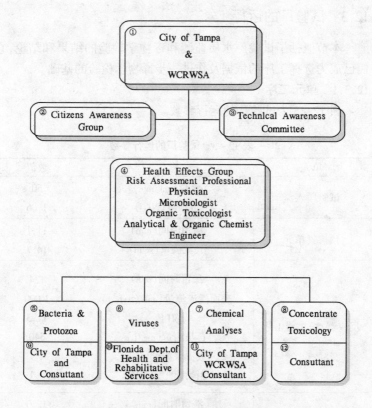

图 12 - 3 卫生检验计划组织流程图

①—坦帕市和西海岸地区水源管理局;②—市民意识小组;③—技术意识委员会;
④—卫生小组,风险评估专家,微生物学家,有机毒物学家,分析与有机化学家,工程师;
⑤—细菌与原生动物;⑥—病毒;⑦—化学分析;⑧—浓缩毒物学;⑨—坦帕市和顾问;
⑩—佛罗里达州卫生与康复服务局;⑪—坦帕市西海岸地区水源管理局的顾问;
⑫—顾问

影响进行了全面分析,并根据使用回收水对现有原水水源可能存在卫生影响的最后比较结果,提出了有关该工程的可行性报告。

12.3 试验厂的运行

本节概括了试验厂水质监测和毒物学检验的结果和结论,它们已成为选择工序的依据及作进一步毒物学检验的基础。

12.3.1 单元工序

表 12-3 为试验厂的运行参数。

表 12-3 试验厂的运行参数

单元	参数	数值
试验厂入流	流量(gal/min)	50
	混浊度(NTU)	1.06
预掺气单元	滞留时间(min)	11.1
	气流流量(scfm)	14.7
反应器/净化器 1 号	滞留时间(min)	124
	表面漫流流量(gal/(d·ft^2))	1 000
	pH 值	11.3
	石灰用量(mg/L)	340
	废泥浆浓度(%)	4.1
	漫流混浊度(NTU)	2.1
再碳酸化单元 1 号	滞留时间(min)	12.0
	二氧化碳供给率(lb/Mgal)	530
	pH 值	9.8
反应器/净化器 2 号	滞留时间(min)	124
	表面漫流流量(gal/(d·ft^2))	1 000
	pH 值	9.6
	含铁硫酸盐用量(mg/L)	18.6
	聚合物用量(mg/L)	0.015
	废泥浆浓度(%)	1.3
	漫流混浊度(NTU)	0.57

单元	参数	数值
再碳酸化单元 2 号	滞留时间(min)	10.9
	二氧化碳供给率(lb/Mgal)	223
	pH 值	7.6
过滤器	负荷率	5.2
	平均过滤器运行时间(h)	73.4
	终端压力降落	7.1
	介质 1	20# 无烟煤
	介质 2	10# 砂
	出流混浊度(NTU)	0.12
	出流泥沙密度指标	3.1
	出流电导率(μS/cm)	765
	反洗水流流量(gal/(min·sf))	8.7
	反洗气流流量(cfm/sf)	2.15
	反洗持续时间(min)	2.15
	重新分层水流流量(gal/(min·sf))	22.5
	重新分层持续时间(min)	12.0
	反洗水量(与流量的百分比)	2.3
粒状活性炭	流量(gal/min)	4
	负荷率(gal/(min·sf))	5
	空床接触时间(min)	32
	碳的种类	Calgon Filtrasorb 300
反渗透	薄膜类型	Cellulose Acetate
	供水水流流量(gal/min)	13.9
	回收百分比(%)	75.0
	TDS 减少百分比(%)	89
	产品水电导率(μS/cm)	66

单元	参数		数值
超过滤	薄膜类型 供水流量(gal/min) 回收百分比(%) TDS 减少百分比(%) 产品水电导率(μS/cm)		Cellulose Acetate 13.9 75 55 391
臭氧消毒 1988 年 7 月前无臭氧	流量(gal/min)		4
	平均接触 时间 (min)	粒状活性炭 反渗透 超过滤	11.8 11.7 11.8
	最大接触时间(min)		12.4
	臭氧用量 (mg/L)	粒状活性炭 反渗透 超过滤	1.8 1.0 1.2
	臭氧最大用量(mg/L)		2.5
	残余臭氧 (mg/L)	粒状活性炭 反渗透 超过滤	0.16 0.30 0.24

下面概括了根据试验厂测试有关主要工序控制参数得出的各单元工序的作用：

·预掺气:除去约 75% 的二氧化碳。

·石灰处理/再碳酸化:除去总磷的 96%,去掉总硬度的 40%,除去总有机碳的 36%,除去总溶解固体的 16%,微量金属减少到联邦和州饮水标准规定含量以下。

·重力过滤:除去含沙量的 80%。

·石灰处理/再碳酸化和重力过滤:粪便大肠杆菌和总大肠杆菌减少 3log,异养细菌减少 1log;病毒减少 1.8log;在石灰处理和重力过滤之后,试样中未发现原生动物。

·GAC 吸附:除去总有机碳的 71%;粪便大肠杆菌和总大肠杆菌减少 0.5log,异养细菌减少 0.3log。

·反渗透:除去总溶解固体物质的 90%;除去总有机碳的 97%;总硬度减掉 90%;粪便大肠杆菌和总大肠杆菌减少 2log,异养细菌减少 0.5log。

·超过滤:除去总溶解固体 58%;除去总有机碳 89%;总硬度除去 71%;粪便大肠杆菌和总大肠杆菌减少 1.5log,异养细菌减少 0.5log。

·臭氧消毒:粪便大肠杆菌和总大肠杆菌减少约 1log,异养细菌减少约 2.0log。

起初,试验厂将氯作为消毒剂来利用。由于下列原因,卫生小组建议用臭氧取代氯作为消毒剂:

·预计未来的标准会限制用氯作为饮用水的消毒剂。

·在减少病毒和贾第虫原方面,臭氧比氯更有效。

·埃姆斯(Ames)(筛除)试验结果表明,臭氧消毒的产品水,比氯消毒的产品水稳定。这在很大程度上是由于臭氧消毒的水所改变的氯化有机物较少。

12.3.2　单元工序系列选择

工序系列的选择取决于众多而且复杂的毒物学检验过程。本工程单元工序系列是根据除去物理、化学和微生物参量的处理效率,以及同现有水源比较产品水的水质、毒物学筛除试验的结果、运行可靠性和成本比较等选定的。本节研究这些选择因素,最后推荐毒物学检验工序系列。

12.3.2.1　除去无机物参量和一般参量

表 12-4 示出了 4 种产品水中无机物参量和一般参量的平均浓度。在除去无机物和一般参量方面,下面概括了 4 个可供选择工序系列生产的产品水特性:

·4 种产品水都符合现行和目前已拟定的美国一级饮水无机物和一般参量条例。

·4 种产品水基本上都符合现行美国二级饮水无机物和一般参量的条例。

·除了核心石灰处理/过滤预处理外,增加了 GAC 吸附和反渗透或超过滤处理,改善了过滤器出流的水质。反渗透和超过滤的产品水,其溶解固体含量也低于过滤器的出流和 GAC 产品水。

就处理无机物参量来说,可供选择的各工序系列的特性同选择基本工序系列的因素并没有明确的区别。

12.3.2.2　除去有机物参量

表 12-5 示出了臭氧消毒产品水中测得的有机化合物最大浓度。

下面就除去有机物参量概括了 4 种可供选择的工序系列的相对特性:

·臭氧消毒的 GAC 产品水,同其他臭氧消毒的产品水相比,可探测到的有机化合物种类最少,浓度最低。

·在整个测试期间,4 种产品水都符合现行和目前已拟定的美国一级饮水标准中关于有机化学制品条例。

4 种工序系列生产的产品水,就有机组分来说,都是优质的。但包含 GAC 和臭氧消毒的工序,在有机化学物含量方面,其产品水质量最高。

表 12 - 4　无机物参量和一般参量的平均浓度

参量(mg/L)	入流	过滤器	GAC	反渗透	超过滤	希尔斯伯勒河
铝	0.02	< 0.01	< 0.02	< 0.01	< 0.01	0.09
氨	0.32	0.28	0.03	0.05	0.08	0.16
锑	未发现	未发现	未发现	未发现	未发现	未分析
砷	未发现	未发现	未发现	未发现	未发现	0.003
钡	< 0.02	< 0.01	< 0.01	未发现	未发现	未发现
铍	未发现	未发现	未发现	未发现	未发现	未分析
硼	< 0.21	< 0.23	0.13	< 0.20	< 0.21	0.005
溴化物	< 1.84	< 1.94	未发现	< 1.90	< 1.87	未发现
镉	未发现	未发现	未发现	未发现	未发现	0.000 2
钙	71	48	未分析	5	10	75
氯化物	141	137	138	28	118	15
铬	< 0.002	< 0.001	< 0.001	< 0.001	< 0.001	< 0.001
钴	< 0.006	未发现	未发现	未发现	未发现	未发现
颜色	35.7	15.8	0.94	< 2.17	< 2.05	127
电导率(μS/cm)	887	766	761	70	394	232
铜	< 0.003	< 0.008	< 0.002	< 0.001	< 0.001	0.002
氰化物	< 0.007	< 0.005	0.000 6	未发现	< 0.005	未发现
溶解氧	1.49	6.0	20.56	19.95	19.95	5.84
氟化物	0.73	0.61	0.61	< 0.59	< 0.59	0.21
铁	0.015	0.020	0.020	0.003	0.003	0.21
铅	0.001	0.001	0.000 4	0.000 5	0.000 6	未发现
镁	10.11	3.35	未分析	1.35	1.65	5.64
锰	0.02	未发现	未发现	未发现	未发现	0.015
MBAS	0.06	0.06	未发现	0.02	未发现	0.006
汞	0.000 03	0.000 02	0.000 02	0.000 01	0.000 02	未发现
钼	0.016	0.15	0.16	未发现	未发现	未分析
镍	0.005	0.005	0.005	0.000 2	0.000 3	未分析
硝酸盐	1.36	1.31	1.30	0.53	1.34	0.16
亚硝酸盐	0.47	0.16	0.04	0.002	0.019	0.03

参量(mg/L)	入流	过滤器	GAC	反渗透	超过滤	希尔斯伯勒河
pH 值	6.52	7.42	7.02	6.10	6.20	7.57
磷酸盐	未发现	未发现	未发现	未发现	未发现	0.31
磷	5.78	0.18	0.17	0.05	0.06	未分析
钾	12.64	12.64	14.7	2.35	8.43	1.69
硒	未发现	未发现	未发现	未发现	未发现	0.31
二氧化硅	11.34	5.20	4.04	1.09	2.49	4.34
银	未发现	未发现	未发现	未发现	未发现	未发现
钠	100	100	100	16	69	7.5
锶	3.25	1.15	0.68	0.45	0.35	未分析
硫酸盐	0.33	未发现	未发现	0.02	未发现	0.24
TDS	92.9	97.4	96.6	6.1	9.0	19.42
TSS	576	483	461	50	203	214
温度(℃)	27.1	28.5	24.5	23.6	23.5	23.0
铊	未发现	未发现	未发现	未发现	未发现	未分析
TKN	1.64	1.07	0.34	0.13	0.14	未分析
TOC	11.59	7.31	1.88	0.38	0.99	0.84
TOX	103	69	13	14	20	14.29
混浊度(NTU)	1.80	0.16	0.05	0.02	0.03	1.46
钒	未发现	未发现	未发现	未发现	未发现	未分析
锌	0.022	0.008	0.008	0.000 7	0.000 7	0.004

注:表中数据均为平均数值。

12.3.2.3 除去微生物组分

采用适量的消毒剂就很容易达到对总大肠杆菌和粪便大肠杆菌要求的水平。在试验厂运行期间,为了满足工程运行期消毒要求,规定了臭氧和氯的用量。增加消毒剂用量,产品水可满足目前有关除去病原体方面的更严格要求。

表 12 - 6 示出了经过臭氧消毒后的产品水中的细菌含量。GAC、反渗透和超过滤各单元工序能显著减少经石灰/过滤预处理后仍存在的细菌。GAC、反渗透和超过滤三者在减少细菌的功效

表 12 – 5　探测到的有机化合物最大浓度

参量 ($\mu g/L$)	入流	过滤器 出流	GAC + 臭氧	反渗透 + 臭氧	超过滤 + 臭氧	希尔斯伯勒河
杀虫剂和多氯联二苯						
A – BBC	0.51	未发现	未发现	未发现	未发现	未发现
B – BBC	7.68	9.56	未发现	未发现	未发现	未发现
G – BBC	7.11	8.31	未发现	未发现	未发现	未发现
D – BBC	5.51	0.68	未发现	未发现	未发现	未发现
4,4 – DDD	0.68	未发现	未发现	未发现	未发现	未发现
挥发性有机化合物						
溴二氯甲烷	未发现	未发现	未发现	1.58	未发现	未发现
四氯化碳 （MCL = 5$\mu g/L$）	8.3	8.1	未发现	未发现	未发现	5.2
氯仿	9.7	22.5	2.84	4.26	5.14	57.0
二溴氯甲烷	未发现	未发现	未发现	1.17	未发现	未发现
总 T.N.M. （MCL = 100$\mu g/L$）	9.7	22.5	2.84	7.01	5.14	57.0
半挥发性有机化合物						
苯(A)蒽	0.81	未发现	未发现	未发现	未发现	0.51
苯(B)荧蒽	未发现	未发现	未发现	未发现	未发现	0.43
苯(K)荧蒽	未发现	未发现	未发现	未发现	未发现	0.43
双(2 – 乙基已基)酞酸盐	4.02	1.89	未发现	未发现	未发现	14.03
丁基苯基酞酸盐	0.62	0.66	未发现	未发现	未发现	未发现
苗	1.97	32.0	未发现	未发现	未发现	0.51
二苯并呋喃	未发现	0.86	未发现	未发现	未发现	未发现
荧蒽	0.58	未发现	未发现	未发现	未发现	未发现
菲	0.46	0.71	未发现	未发现	未发现	未发现
芘	0.69	未发现	未发现	未发现	未发现	未发现
N – 亚硝基＝苯胺	0.61	未发现	未发现	未发现	未发现	未发现
2 – N – J 基酞酸盐	未发现	未发现	未发现	未发现	未发现	1.17

注:示出的系最大值($\mu g/L$)。

方面没有明显的差别。

表 12-6　臭氧消毒后细菌的含量

细菌名称	试验厂入流	过滤器出流	GAC + 臭氧	反渗透 + 臭氧	超过滤 + 臭氧
粪便大肠杆菌	17 300	9.44	0.14	0.12	0.07
总大肠杆菌	53 600	71.2	0.31	0.19	0.87
异养平板计数	812 000	73 200	81.8	44.4	331

注:为了进一步减少细菌的含量,可增加臭氧的用量。

在经过臭氧消毒的产品水中,没有发现病毒和病原体(贾第虫原和隐担孢子)。根据微生物监测资料,GAC、反渗透和超过滤没有明显的性能差别。

12.3.2.4　产品水水质同现有水源水质的比较

将经臭氧消毒的希尔斯伯勒河河水作为各种产品水比较的标准,其理由有二:第一,它是坦帕市目前的水源;第二,有当地民众饮用处理过的希尔斯伯勒河河水的卫生记录。因此,若实施水源扩大工程,有现成的流行病数据库可用来与未来的卫生记录作比较。在分析之前将希尔斯伯勒河河水进行臭氧消毒,是使其更接近于最终的产品水。

就无机物、有机物和一般的参量来说,将产品水同用臭氧消毒的希尔斯伯勒河标准水作水质比较的结果表明,用臭氧消毒的各种产品水水质比希尔斯伯勒河河水的水质稍好。为了生产溶解固体指标差不多的水,要求采用薄膜过滤工序系列。

12.3.2.5　毒物学筛除试验

为了明确产品水是否存在诱变、致癌和有毒的危险,采用埃姆斯沙门氏菌回复突变检测法和分析化学进行了检验,检验臭氧消毒的反渗透、超过滤和 GAC 的产品水流,以及臭氧消毒的希尔斯伯勒河标准水。

埃姆斯沙门氏菌回复突变检验法是检测化学诱变物和致癌物的快速而准确的方法。埃姆斯检验可以探测出在特制沙门氏菌组氨酸缺少系列的 DNA 分子中可诱发永久遗传改变的化合物。因为沙门氏菌不能产生组氨酸(有机组织生存所需要的营养物质),所以它们不能发育,除非提供组氨酸,或出现恢复它们生产组氨酸能力的诱变作用。因此,在该项检验中,向产品水和标准水的培养试样中添加了沙门氏菌。把培养试样中发育的菌群总数同正常情况作比较,由此可以确定是否存在诱变性。

基于下列理由,选择臭氧作为产品水和标准水的消毒剂:

·卫生小组预计将来的标准会限制使用氯作为饮用水的消毒剂,因而建议采用臭氧作为消毒剂;

·在除去病毒和贾第虫原方面,臭氧比氯更有效;

·初步筛除(埃姆斯)试验结果证明臭氧消毒的产品水,由于其诱变氯化有机化合物的数量减少,其诱变性低于氯消毒的产品水。

这些毒物学筛除试验明确表明,氯消毒与臭氧消毒的产品水相比,前者诱变性高。臭氧消毒的 GAC 产品水不具诱变性。此外,臭氧消毒的希尔斯伯勒河标准水未引起诱变活动。

12.3.2.6 选定的单元工序系列

单元工序系列包括对经过核心石灰/过滤预处理、GAC 吸附、选定的臭氧消毒以及选定臭氧消毒的希尔斯伯勒河标准水作深入的毒物学检验,这将在下面讨论。

选定臭氧消毒 GAC 产品水的理由如下:

·就除去有机污染物来说,该工序系列优于其他工序系列;

·根据埃姆斯筛除检验(Ames screening test)结果,该产品水未呈现出诱变活动;

·与薄膜工序有关的主要问题,采用 GAC 工序显示运行可靠,使臭氧消毒 GAC 工序系列更容易接受;

·不论是同反渗透比较,还是同超过滤比较,GAC 成本都最低。

12.4 卫生检查计划

本节介绍进一步开展的卫生检验结果。该项检验通过同现有希尔斯伯勒河原水比较,来评价臭氧消毒的 GAC 产品水的水质。

"卫生影响"一词指的是许多与卫生有关的可能后果,这些后果可以从使用未经过适当处理的水而得以发现。微生物污染物(包括细菌、病毒和原生动物)可引起各种疾病,例如贾第鞭毛虫病和隐担孢子病。业已知道许多无机化学制品和有机化学制品可引起急性的或慢性的卫生疾病。

已知污染物(可用已有的分析技术来识别和定量)的风险可用数学方法来评估。然而,自然水和人工水含有各种有机化合物,这种混合物太复杂,用现有分析仪器进行识别和定量,既不可行,也不经济。因此,本项检验采用毒物学检验法来评估这些复杂有机混合物的影响。

卫生影响检验计划包括收集和评价两种类型的资料。第一种类型的资料包括在臭氧消毒的 GAC 产品水中和臭氧消毒的希尔斯伯勒河标准水中探测到的已识别可定量污染物的卫生影响评估。这类资料包括微生物污染物(细菌、原生动物和病毒)、已知的化学污染物(金属、除锈剂、杀虫剂等)和一般的水质标准(固体物质含量、pH 值、温度、溶解氧含量、总有机碳等)。第二种类型的资料包括在臭氧消毒的 GAC 产品水和臭氧消毒的希尔斯伯勒河标准水中出现的未识别污染物的卫生影响评估。为此,把臭氧消毒的 GAC 产品水和臭氧消毒的希尔斯伯勒河标准水进行了浓缩,供深入了解这些未识别污染物的卫生影响而开展的毒物学检验使用。

12.4.1 无机化学制品和一般的参量

表 12-4 中列举的无机物参量和一般参量的分析性监测数据表明,臭氧消毒的 GAC 产品水控制的下列质量标准与无机物参量

和一般参量有关：

·符合现行和拟实行的美国一级饮水条例；

·基本上符合所有美国二级饮水条例；

·就微量金属来说，水质相当于或优于标准水的水质；

·溶解固体物质、主要阳离子和阴离子、亚硝酸盐和硝酸盐等浓度高于标准水的相关浓度(可容许的)。

12.4.2 有机化学制品

开展广泛的微量有机分析，采用了下列技术方法：

·总有机碳分析；

·气相色谱学法/质光谱摄影学法；

·挥发性有机碳分析；

·三卤甲烷分析。

在产品水和标准水中探测到的有机化合物浓度见表12-5。臭氧消毒的GAC产品水中只有一个试样存在一种可测浓度的有机化合物(三氯甲烷)。三氯甲烷(三卤甲烷)的浓度为2.84mg/L，同饮水标准规定的总三卤甲烷100μg/L相比是很低的。臭氧消毒的GAC产品水中，可识别的有机化合物成分少于臭氧消毒的希尔斯伯勒河标准水。

12.4.3 微生物学分析

每天采样对粪便大肠杆菌、总大肠杆菌以及异养平板计数(HPC)细菌进行监测。所选定的补充处理系统可使粪便大肠杆菌、总大肠杆菌和HPC细菌减少约4log。在试验厂计划所采用的臭氧浓度情况下，产品水中的大肠杆菌含量保持在很低的程度(低于1个/100mL)。

贾第虫原lamblia和隐担孢子是评价选定的产品水和标准水水质所要求监测的两种病原体原生动物。

表12-7示出了在工序水流、GAC产品水以及标准水中原生动物的含量。在臭氧消毒的GAC产品水和臭氧消毒的希尔斯伯

勒河标准水中,均未探测到原生动物。

表 12-8 示出了病毒监测数据。试验厂的病毒试样是在 1987 年 6 月到 1989 年 6 月之间连续采集的。病毒检验包括分析选定工序系列水流中的肠道病毒和旋转病毒(rotavirus)。检验结果表明,进入霍克斯角高级水处理设施和试验厂的所有水流试样都含病毒。不过,经石灰处理和重力过滤后,只有 16%的试样含有病毒。经臭氧消毒的 GAC 产品水中,未发现病毒。

表 12-7　各种工序水流中原生动物

工序水流	隐担孢子 (卵囊/100L)[1]	贾第虫原 (卵囊/100L)[1]
霍克斯角高级水处理厂入流	30	3900
试验厂流入	未发现	5
	未发现[2]	未发现[1]
石灰处理出流	0.13	未发现
重力过滤出流	未发现	未发现
臭氧消毒的 GAC 出流	未发现[3]	未发现[3]
坦帕分水渠渠中水流	59	未发现
希尔斯伯勒河河水	未发现	未发现

注:(1)所有试样取于 1988 年 4 月,除非另有注明;

　　(2)试样取于 1988 年 10 月;

　　(3)在 779mL 的试样中仅发现 1 卵囊(不确认为变量)。

表 12-8　病毒监测数据

采样地点	试样数	阳性百分数(%)	平均(PFU/100L)*
霍克斯角高级水处理厂入流	25	100	7 000
试验厂入流	25	100	3.5
石灰处理后和过滤后的水流	25	16	0.06
臭氧消毒的 GAC 出流	4	0	0

注: * PFU 为蚀斑形成单位(plaque-forming units)。

12.4.4 浓缩液毒物学检验

为了确定各种水中未专门进行识别的各种污染物是否有潜在的卫生影响,需要对水样进行浓缩。臭氧消毒的 GAC 产品水和臭氧消毒的希尔斯伯勒河标准水的浓缩液均进行了毒物学检验。

12.4.4.1 浓缩液的准备

臭氧消毒的 GAC 产品水和臭氧消毒的希尔斯伯勒河标准水的浓缩液是现场浓缩的。采集和浓缩试样的设备系按照 1985 年 9 月美国环境保护局颁布的《制备环境与废物诱变性检验试样指南》(EPA/600/4 – 85/058)中规定采用的标准设备。简单地说,就是水样流过采集设备中充满离子交换树脂的圆筒,离子交换树脂吸附水样中的有机化合物;接着,让各种溶剂流过圆筒来冲洗树脂吸附的有机化合物,从而获得溶剂和有机化合物的浓缩液;然后把所有的提取物混合,并把试样蒸发干燥,去掉溶剂;将蒸发干燥的固体物质稀释成各种浓度的溶液,供毒物学检验使用。

不少毒物学检验需时几个月。因此,必须把提供的浓缩液加以贮存。为了确保毒物学检验的准确性,必须留意浓缩液的稳定性。为此,专门研制了一种稳定性分析方法,用这种方法可监测短期和长期毒物学检验计划所用浓缩液的稳定性和均匀性。

根据浓缩液试样的组分,经卫生小组、坦帕市市政府和毒物学检验试验室成员同意,选定 5 种化合物作为试样稳定性指示剂。在浓缩试样装运到试验室提取浓缩试样时,通过化合物指示剂测定浓缩试样的浓度,以确定浓缩液试样浓度是否随时间而减小。在浓缩液稳定性评估过程中,每种选定的稳定性化合物指示剂显示的浓度值在允许变化范围内。

12.4.4.2 毒物学检验结果

对选定的产品水和标准水中出现的有机化合物进行毒物学检验,由环境卫生研究与检验有限公司(EHRT)负责实施。非挥发性有机化合物的采集和浓缩,采用离子交换层析法使用 XAD—2 和

XAD—7 树脂来进行;对每天消耗 2L 水、体重 70kg、每天人身接触可能达 1 000 次的人,进行下列项目检验:

·诱变性:埃姆斯沙门氏菌层回复突变检测法;

·生殖毒性:在小鼠脾细胞内作姐妹染色单体交换和微细胞核检验;

·亚慢性毒性:在鼠体内进行 90 天亚慢性毒性检验;

·致癌性:SENCAR 鼠皮引发加速检验法和 A 类鼠肺腺瘤检验法;

·重演性:在老鼠身上进行两代重演毒性检验;

·致畸态性:在老鼠身上进行发育性毒性检验。

12.4.4.2.1 诱变性

在正常情况下,子女的细胞会继承父母细胞所具有的同种遗传信息。一旦某种物质发生诱变,则可能引起生物体遗传密码改变(突变)。这种改变可能使子细胞具有与母细胞不同的性质。

对臭氧消毒的 GAC 产品水试样和臭氧消毒的希尔斯伯勒河标准水试样,进行了 4 次诱变活动检验。埃姆斯检验包括用沙门氏菌层细菌给浓缩试样个数不同的两个品系下药。将细菌放在缺乏组氨酸(细菌生存所必需的营养物质)的肉汤中。当检验进行到相当于每平板 10L 未浓缩的水流时,臭氧消毒的 GAC 产品水或臭氧消毒的希尔斯伯勒河标准水试样均未呈现出诱变现象。

12.4.4.2.2 生殖毒性

生殖毒性是指对基因有毒的东西或遗传信息含在细胞的核内,遗传基因(DNA)被细胞中的染色体包围,当细胞分裂时,DNA被复制,使每个子细胞含有同样的遗传信息。在细胞分裂前,染色体被复制成两个相同的部分,称为染色单体,它附在细胞的中心。在细胞分裂时,姐妹染色单体分离,分赴不同的子细胞。生殖有毒的物质可引起染色单体改变。

某些细胞含有一种以上的细胞核,即微细胞核和大细胞核。

遗传信息处在两种细胞核之内。在正常情况下,细胞分裂后,各个子细胞拥有相同数目的母细胞的微细胞核。生殖有毒物质可引起子细胞中微细胞核数目增加。

遗传物质同污染物接触可能消失或发生变化。为了确定生殖毒性,对产品水试样和标准水试样引起小鼠脾细胞内姐妹染色单体交换和微细胞核数目增加的能力进行了检验。如果一种剂量对细胞是有毒的,它就不能用来确定是否存在生殖毒性,因为只有存活的细胞才能生殖。

当剂量达到300倍和1 000倍水平时,臭氧消毒的希尔斯伯勒河河水试样对脾细胞是有毒的,因而在这些剂量的情况下未得到可靠结果。但是,在臭氧消毒的希尔斯伯勒河河水的剂量为100倍以及臭氧消毒的GAC产品水试样的剂量高达1 000倍时,没有出现姐妹染色单体交换和微细胞核数目增加的情况。

12.4.4.2.3 亚慢性(90天)毒性

亚慢性毒性检验是主要的非致癌性检验。进行亚慢性毒性检验的目的,是为了保证重复接触所选产品水试样和标准水试样不致到出现急性毒性时才去检验不可预测的毒性。慢性毒性是由于化学药品对器官损害的积累而造成的。一次接触与多次接触可能导致不同类型的损害和不同程度损害的积累。

因缺乏对人体影响的直接数据,对哺乳动物所作毒性研究的数据资料只能供预测对人体不利的卫生影响时参考。这些研究得出的数据常用来估计对人类可能造成的损害(用定性和定量的词语)。通常通过测试两种动物来检验毒性。本项研究使用老鼠和小鼠(最常用的两种试验动物)。

在小鼠和老鼠体内对臭氧消毒的GAC产品水试样和臭氧消毒的希尔斯伯勒河标准水试样进行亚慢性毒性检验,采用的剂量高达人体可能接触量的1 000倍。试样用管饲法进行管理,分组进行,每组包括12个雄性和12个雌性。对用溶剂(5%乳化剂)处理过的一组和未处理的一组产品水和标准水的结果进行比较。评估内容包括每天两次临床观察、存活力、体重增加、器官重、体重与器官重之比、临床化学、临床血液学以及对若干组织的病理学评估。

在 90 天的亚慢性毒性检验中(不包括诱变性、致癌性、生殖毒性和畸形学),臭氧消毒的 GAC 产品水和臭氧消毒的希尔斯伯勒河标准水,在剂量高达人体可能接触量的 1 000 倍的情况下,试验鼠仍未呈现出毒性。

12.4.4.2.4 致癌性

致癌性物质可能引起癌症。采用小鼠皮引发加速检验法和 A 类小鼠肺腺癌检验法,对臭氧消毒的 GAC 产品水和臭氧消毒的希尔斯伯勒河标准水进行了致癌性评估。

针对肿瘤引发活动,采用小鼠皮引发加速检验法检验,按每人每天饮水估算量的 100 倍、300 倍和 1 000 倍,对产品水和标准水试样的小鼠进行了检验。由于 SENCAR 小鼠品系对致癌化合物敏感,故选定其作为检验物。检验结果表明,在 47 个星期的 SEN-CAR 小鼠皮引发加速检验中,不论是臭氧消毒的产品水试样还是臭氧消毒的希尔斯伯勒河标准水试样的小鼠中,均未发现肿瘤活动迹象。

在 A 类小鼠肺腺瘤检验中,按人每天饮水估算量的 100 倍、300 倍和 1 000 倍,对产品水试样和标准水试样的试验鼠进行了检验。在这些剂量水平下,试验鼠均未发现肿瘤的迹象。

12.4.4.2.5 生殖毒性

在小鼠体内,按人类可能接触的 100 倍、300 倍和 1 000 倍的剂量,对臭氧消毒的产品水试样和臭氧消毒的希尔斯伯勒河标准水试样的生殖毒性进行了检验。对小鼠的死亡数、体重增加、繁殖力、生殖性能、器官重、器官重与体重之比及组织病理学等进行了观察。对软组织和骨骼改变的畸形影响(出生缺陷)也作了观察。

表 12-9 示出了评估项目生殖毒性检验的结果。臭氧消毒的

GAC 产品水试样和臭氧消毒的希尔斯伯勒河标准水试样都不存在系统的生殖毒性迹象。

12.4.4.2.6 致畸态性

致畸态性物质是造成出生缺陷的物质。臭氧消毒的 GAC 产品水试样和臭氧消毒的希尔斯伯勒河标准水试样致畸态性用老鼠来评估，因为生殖研究用的是小鼠，在这项检验中已可看出对小鼠致畸态的影响。给老鼠适当的剂量，然后就母体的毒性、胎儿体重的减轻、体长的减短以及其他外观的改变，对老鼠进行评估。在这些剂量条件下，臭氧消毒的 GAC 产品水和臭氧消毒的希尔斯伯勒河标准水均未产生致畸态影响。

这些研究试验厂采用 GAC 吸附和臭氧消毒的水流进行研究，结果都是阴性的，为补充处理试验厂生产水提供了可令人信服的证据。因此，可以确认臭氧消毒的 GAC 产品水对人体没有毒害。

12.4.5 卫生检验计划小结

卫生小组审查了分析化学、毒物学和微生物学的最后检验结果，对试验厂出流的卫生风险进行了全面的比较评估。卫生小组的结论是：试验厂的出流（臭氧消毒的 GAC 出流）不存在明显的微生物学和毒物学风险，水质同其他原水水源（例如希尔斯伯勒河河水）一样好，甚至更好些。

分析化学结果表明，试验厂的出流（经过石灰处理、过滤、GAC 吸附和臭氧消毒之后）是可接受的原水水源。这种出流满足美国环境保护局所有的一级饮用水标准，也基本上满足所有的二级饮用水标准。在各种浓缩液中不存在有机化学药物，这对原水水源来说是非常重要的。

微生物学检验包括测量试验厂工序系列的病毒、细菌（总大肠杆菌、粪便大肠杆菌和异养平板计数细菌）以及原生动物（贾第虫原和隐担孢子）。检验结果表明，所有值得关注的有机物都为由石灰处理、过滤、GAC 吸附和臭氧消毒组成的工序系列所除去。微生物学的评价结果为试验厂出流(经过所说到的处理)作为原水水源的安全性提供了进一步的证据。

表 12 - 9　在小鼠身上的生殖毒性检验

在母体、第一代和第二代身上进行检查的参量

- ·生存性
- ·母体体重增加
- ·发情期
- ·交配、怀孕、繁殖力等指标
- ·极限的体重和器官重
- ·肉体损害和组织病理学损害的发生
- ·一胎参数:
  - 每胎存活个数
  - 生下与存活的个数比例
  - 雄与雌个数比例
  - 存活幼体的体重、体重增加量
  - 生存到出生后第 21 天的个数

第二代后代的畸胎学

- ·卵子的数目(卵巢内)
- ·移植
- ·移植损失和再吸收
- ·活的胎儿数和死的胎儿数
- ·性别比
- ·胎儿体重
- ·体长
- ·骨骼的和内脏的(内部器官)畸形和变异

结果

在下列处理组中没有明显的生殖影响
- ·100× 和 1 000× GAC + 臭氧
- ·100× 和 1 000× 希尔斯伯勒河河水 + 臭氧
- ·溶剂(vehicle)控制

13　圣迭戈市再利用水中的盐度控制
(John C.kennedy 等)

　　圣迭戈市的污水中含有较多的溶解固体(TDS)。因此,回收后仅一部分适合于一般景区灌溉。首座主要的水回收设施位于该市北城区。本文论述了有关圣迭戈市污水中的含盐问题及其对该市北城区实施污水回收和再利用的潜在影响。

13.1　背景

13.1.1　北城区设置

　　在建的北城区污水回收厂,日回收能力为 11.4 万 m^3,计划于 1997 年中期全面投入运行和生产回收水。如图 13 - 1 所示,该厂拥有 259km² 的广阔服务区,目前该区在旱季产生的污水日均流量约 8.36 万 m^3/d。8 个从属服务区共用一根污水干管和压力管系统,各种水质特性变化范围较广的污水通过该管道系统送到 64 号抽水站(PS64)。全部水流通过直径 1.5m 的压力干管和设在罗斯考约的截流下水管抽出北城服务区,并送到 2 号抽水站。2 号抽水站将污水泵送到洛马角的一个处理能力为 91.2 万 m^3/d 的地区性污水处理厂进行初步处理,其后由一根直径 2.7 ~ 3.6m 的总出水管延伸 7.2km 至近海区排入海中。新北城区污水回收厂能处理经 64 号抽水站输送来的全部水流。该设施有一个直径 1.4m 旁路系统,不满足排放要求的水,可利用此系统由两条平行的自流污水管道输送到洛马角处理厂。

　　在该污水厂竣工后的几年内,预计来自北城区旱季日均污水量将达到 11.4 万 m^3/d,计划在下一个 10 年中将该污水回收厂处理能力扩建至 17.1 万 m^3/d 的规模。

13.1.2　问题评估

由于圣迭戈市的污水含有盐分,使其回收再利用的潜力受到限制,所以 1988 年夏天对污水盐度进行了检测,以制定污水回收与再利用总体规划。初步评定的水质适用的极限值列于表13－1。盐浓度以总溶解固体表示,许可极限值为 1 000mg/L。该极限值介于污水许可水质和临界水质之间。计划中的污水回收厂,包括北城区水厂,厂址选在污水盐度低于 1 200mg/L 的地区,此值接近总溶解固体的许可极限值。

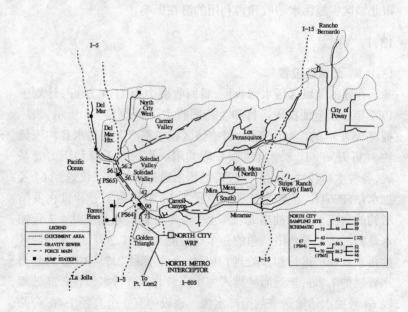

图 13－1　北城排污服务区

随后进行详细的现场调查,进一步确定了建议兴建的 7 个污水回收厂特定区域内污水回收利用的总体适用性,其中最大的厂是北城区污水回收厂。这项研究明确了入流污水中高盐度的来源和受含盐度影响的量值,并提出了减少盐水的控制措施,以确保达

到许可的盐度水平。调查结果表明,北城区污水的盐度水平不断
增大到总溶解固体、钠和氯化物的临界极限值之上。

表 13 - 1 圣迭戈地区污水中主要成分的适用极限值

成 分	范 围[1]	适用极限值[2]
总溶解固体(mg/L)	800 ~ 1 900	1 000
氯化物(mg/L)	150 ~ 660	300
钠(mg/L)	120 ~ 460	200
钠的百分比(%)	40 ~ 80	60
调整的 SAR[3]	2 ~ 15	10
硼(mg/L)	0.2 ~ 0.8	0.5

注:(1)圣迭戈地区内出现的典型浓度范围;
　　(2)适用极限值定义为通常情况下景区灌溉许可的最大水平;
　　(3)调整的钠吸收比。

　　1992 年和 1993 年旱季再次进行了调查。过去 8 年在 64 号抽
水站的入流污水监测中测得的盐度水平如图 13 - 2 所示,旱季平
均总溶解固体浓度从 1981 年的 1 050mg/L 增加到 1992 年的
1 390mg/L,增长 34%。去年 64 号抽水站旱季平均总溶解固体浓
度为 1 370mg/L。

13.2 盐的来源

　　污水中盐的基本来源有 3 种:
　　·给水中原有的基础值;
　　·与消耗性用水有关的增量;
　　·排入或以其他方式进入排水系统的盐水(含盐溶液)。圣迭
戈市与盐源相关的相对盐量将在下文中讨论。排入北城区的盐引
起了极大关注。

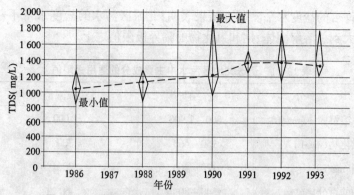

图 13 - 2　在 64 号抽水站入流中总溶解固体测量结果

13.2.1　给水

圣迭戈市,给水中的基本盐度水平是根据科罗拉多河(总溶解固体为 500～750mg/L)和州水利工程(总溶解固体为 150～400 mg/L)引入水的"混合水"变化而改变的。图 13 - 3 表示了过去 4 年引入到圣迭戈市的水中年平均基本总溶解固体浓度。由于引水中科罗拉多河河水所占的百分率增加,故输送到圣迭戈市的混合水的盐度水平也增加了。随着两种水源中的总溶解固体浓度的升高,基本盐度水平大大增加。1982 年到 1986 年输入到圣迭戈市的水的最低含盐量大约为 475mg/L,这种输入水是按 1:1 混合的,其中州内水源中含总溶解固体 200mg/L,而科罗拉多河水源中盐度有记录以来的最低值为 530mg/L。

圣迭戈市米拉马尔水过滤厂是为北城区大部分地区服务的,其提供的饮用水盐度在过去几年明显地增加。图 13 - 4 显示了该厂过去 8 年输送出的水月总溶解固体水平。

从两个水源引入的水在斯基纳湖混合,圣迭戈市接受的科罗拉多河河水通常要比南加利福尼亚其他供水机构多。由于亚利桑那州中部计划未来水的需要量增加,到达加利福尼亚州南部的科罗拉多河河水的数量将减少。尽管如此,剩下的水按合同输入到

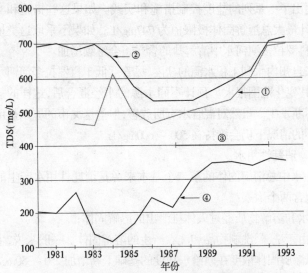

图 13 - 3　北城地区原生给水中总溶解固体含量

①—在 MIRAMAR WFP 部位的圣迭戈给水(见图 13 - 4 的年月变化);
②—科罗拉多河水源;③—6 年干旱期;④—州水利工程水源

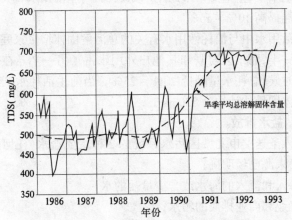

图 13 - 4　MIRAMAR WFP 排放水中总溶解固体月均含量

基斯纳湖,其盐度预计仍将继续上升。EPA 在该河流 7 个州的流域范围内提出了一系列的盐度控制措施和实践。如果这些措施和实践成功,预计最大总溶解固体极限值为 747mg/L。如果不采取这类措施和实践,科罗拉多河河水中溶解盐的含量将会继续增加。

来自州内水利工程水源的盐度,尽管远低于科罗拉多河河水的指标,但其变化范围很大。预计不同水源的水经混合后,这样的盐度变化会不断发生。虽然对混合水有所改善,但圣迭戈市的原水盐度预计在最坏的情况下仍会维持在 500～600mg/L。

13.2.2 消耗性用水

污水中总溶解固体的第二个基本来源是消耗性用水产生的增加量。包含两个因素:

·水和溶解物质经过人体排泄出的溶解固体;

·由于洗澡、洗刷物品和洗衣产生的溶解固体。一般来说,生活用水使总溶解固体浓度在原给水盐度的基础上新增加 250～350mg/L。

因为排入系统中的溶解盐数量仍与以前大致相等,消耗性用水产生的增量往往随着耗水量的减少而上升。考虑到最近遍及全州的长期干旱,圣迭戈市节约用水期延长,与生活用水有关的盐度增量可能提高 10%～15%。

生活用水中与消耗性用水有关的总溶解固体增量家庭用水占了大约一半,而景区灌溉和其他户外用水占了另一半。在干旱最严重的时候,总耗水量降低 20%～25%。当前生活耗水产生的总溶解固体增量估计约为 330mg/L。

13.2.3 盐水排放

进入圣迭戈市北城区污水系统的 3 种主要盐水(任何浓度的盐溶液)来源已经明确:

·渗入和流入的海水或含少量盐的水;

·工业和商业排放的污水;

·自动水软化装置的再生废水。

1991 年回收水水质监测研究发现,3 种主要的盐水源对市区各地盐负荷过量的作用大致相等。研究期间,每种盐水源均使总溶解固体浓度增加 100mg/L。由于过去几年中耗水率较低,各从属区污水量减少。随着生活耗水量的增加,这些盐水排放量对最终的总溶解固体浓度的相对影响也增加。3 种盐水源的盐分排放量估计使到达 64 号抽水站的北城污水总溶解固体含量增大 350～400mg/L。

由于自动水软化装置的增加,大量的盐水也进入到系统中。尽管这些装置比老设备要有效得多,对一个 2～3 人家庭,新设备每月仍需要 6～9kg 再生盐。除非污水回收厂服务的各社区内对安装自动化水软化设备加以限制,否则污水的盐度水平将会持续增加。

13.3　盐度分布

作为最近资料分析工作的一部分,根据为期 4～8 周每天 12 次的电导率读数,已建立了北城分区每月盐度变化模式。其特征模式(见图 13－5)为过量盐度的 3 种主要来源所证实,即:

·渗入或流入的微咸地下水;

·工业和商业排放的盐水;

·自动水软化装置的再生废水。

基于对每个监测分区盐度变化模式的分析,得出了有关过量盐分的主要来源及其对 64 号抽水站总盐分负荷相应影响的结论。表 13－2 列出了监测结果。

北城区污水中盐分构成如图 13－6 所示。左上角图表示了原生给水、生活用水和过量总溶解固体源各部分盐分的日均量及其百分率。给水占北城区污水中总盐负荷的 51%(63t/d)。另外,有 22%(27t/d)与耗水量有关,剩余 27% 的盐负荷是由于总溶解固体超过 1 000mg/L 所致。总盐负荷按有下水管的地区细分情况,如右上角图所示。尽管 65 号抽水站上游污水管的流量少于北城区污水流量的三分之一,但该地区污水的盐负荷占总盐量的 44%。1993 年在 65 号抽水站和 64 号抽水站每条主要污水干管中所测得的过量盐负荷数量如图 13-6 右下角图所示。64 号抽水站的过量盐负荷的 3/4 是由 65 号抽水站服务区产生的。其中大部分是因为微咸地下水侵入产生的。其余负荷大多数来自 65 号抽水站下的两个主要污水干管(卡罗尔峡谷和佩纳斯基托斯)。图左下角展示了过量盐度 3 种主要来源中每种过量盐负荷的组成比例。流入排污系统的微咸水估计为 51%(17t/d),自动水软化装置占 45%(15t/d),4.5%(1.5t/d)为工业/商业盐水排放量。

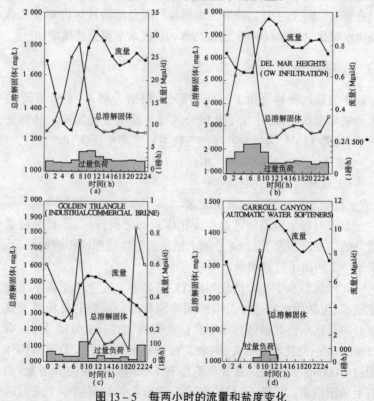

图 13-5　每两小时的流量和盐度变化

(a)—64 号抽水站;(b)—DELMAR HEIGHTS(地下渗入);

(c)—金三角(工业/商业盐水);(d)—自动水软化装置

表 13-2　北城区污水盐度(1993 年)

地点编号	服务区	污水流量 (Mgal/d)	总溶解固体(mg/L)	盐负荷 (t/d)	百分比 (%)	过量负荷[1] (t/d)	百分比 (%)
56.1	Sorrento Valley	1.6	1 740	11.6	9	4.9	15
56.2	Soledad(b) Valley	3.8	1 760	27.9	23	11.9	35
56.3	Del Mar Heights[2]	0.8	3 780	12.6	10	9.2	27
70	65 号抽水站	6.2	2 014	52.1	42	26.0	77
42	Carroll Canyon	6.8	1 115	32.5	26	4.2	13
73	Penasquitos Powny	8.0	1 080	35.9	29	2.6	8
90	Goldn Trianyle[3]	0.6	1 330	3.3	3	0.8	2
57	64 号抽水站	21.6	1 373	123.8	100	33.6	100

注:(1)超出 1 000mg/L 总溶解固体的盐;

(2)盐的基本来源是侵入排污系统低洼部分的微咸地下水;

(3)盐的基本来源是工业及商业盐水排放。

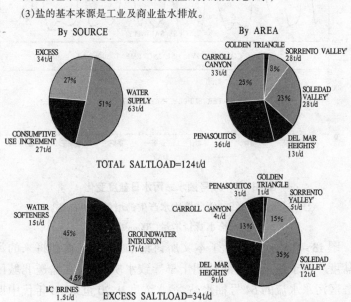

图 13-6　北城区污水构成

另一项监测研究成果与发生在 64 号抽水站的峰值总溶解固体浓度重复特性有关。正如图 13－7 所示,峰值盐度都发生在每日早上 8 时左右。尽管本文这个信息是 8 月份的一个星期中得出的,但在为期整整 3 个月的监测期内,其数据都遵循相似周期变化模式。峰值盐度的重复出现特性和限定的持续时间,使有可能在北城区污水回收厂将具有高总溶解固体"尖峰"的污水每天运行 3～5h 经旁通管路排放。如果这样操作可行,当前的污水盐度可减少大约 10％(140mg/L)。

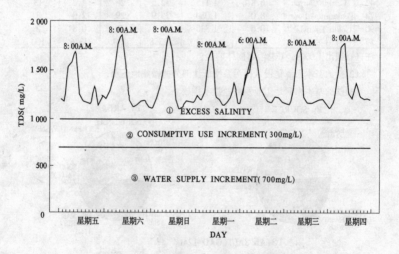

图 13－7　64 号抽水站污水日盐度变化

①—过量盐度;②—消费性用水产生的增量(300mg/L);

③—给水背景增量(700mg/L)

　　图 13－8 概括地表示了本文所讨论的过去、现在和将来的污水盐度。由于遍及全州的长期干旱导致水质改变,在输送北城区服务区污水水流的 64 号抽水站,污水浓度从 20 世纪 80 年代中期开始上升。因为州内低盐度的水较少(目前已不到混合水的 10％),两种水源的盐度都在增加,给水中的基本盐度已从总溶解

固体 480mg/L 上升到大约 700mg/L。

由于用水量下降使污水减少,最近几年生活耗水量产生的盐度增量和过量盐度水平也在上升。节约用水使北城区的污水盐度水平小幅度增加。当然,这种增量比给水中基本盐度的增加量要小。

未来的盐度水平现在难以预测。如果要使北城区的污水满足水再利用的许可要求,总溶解固体水平必须降低大约 1/3。这些降低涉及到要提高州内水和科罗拉多河河水组成的混合水质量,使给水总溶解固体含量控制在 500 ~ 600mg/L 之间。这样的混合水需要这两种水按 1:1 的比例混合。同样地,与生活耗水量和过量盐度两种主要来源有关的总溶解固体含量,必须通过有效的控制措施加以减少。如果要在北城区内获得许可水质的回收水,这些水源组合产生的允许最大盐度约为 500mg/L。

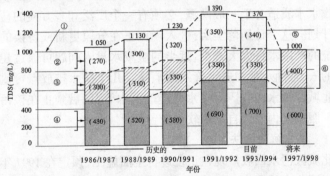

图 13－8　旱季流量情况下北城区污水的组成

①—许可的总溶解固体极限值;②—过量盐度;③—消费性用水产生的增量;④—给水背景水平;⑤—减小 30% ~ 40%;⑥—超过量加消费性用水产生的增量

13.4　控制措施

有效的盐度控制措施对减小进入北城区污水系统的污水盐度和减少流经北城区污水回收厂的污水数量来说都是必需的。

由于有许多措施能减小由盐引起的潜在有害影响,所以能够确保有合格质量的回收水供重复利用。经论证,可用以降低北城区污水盐度的措施包括:

- ·减少进入排污系统的微咸水;
- ·减少北城区污水回收厂工业和商业盐水的排放量;
- ·禁止再安装自动水软化装置;
- ·用非再生部件改造现有的自动水软化装置;
- ·使具有峰值盐浓度的污水经旁路绕过三重处理过程;
- ·获得盐度较低的原生水源;
- ·将回收水与盐度较低原生水混合;
- ·脱除给水中过量总溶解固体增量的矿物质;
- ·脱除污水中过量总溶解固体的矿物质。

正如文献《1991年回收水水质监测研究》中介绍那样,如果要使回收水水质适合于一般灌溉,必须有一个广泛和多方面的盐度控制计划。这个计划落实后,进入现在正在分段更新或替换的污水系统的微咸水将大大减少,近半的微咸水渗入问题可通过建一座新的65号抽水站和进水管线而消除。几个盐水排放点可改道进入北城区污水回收厂下集水系统的下水管,以后禁止在该污水回收厂服务区内安装自动水软化装置。

13.4.1　具体解决办法

北城区污水回收厂现在正在进行全面施工,预定在1997年中期进行回收水的生产。地区性回收水分布系统设计也在进行中,工程进度目标是1997年灌溉季节开始为回收水主要用户送水。

正如从监测研究中所了解的,因各种溶解矿物质产生的污水盐度超过临界水准会危及污水回收计划,已实施了许多重要的盐度控制步骤。这些行动包括:

- ·改善排污系统,防止入渗和入流以减少地下水侵入。具体改善措施包括改变65号抽水站的位置、污水管和接头的修复、滑动衬砌和替换、检修孔修理以及对盐和微咸水直接进入北城集水系统的其他具体限制措施。

·修改现有工业预处理计划,包括在污水回收厂服务区内对盐水排放加以具体限制。新的排放限制法规将在北城区污水回收厂完工前生效。在该污水回收厂上游禁止工业和商业处理污物和医院、餐馆、水软化装置、化粪池等设施腐化物的排放及其他活动的过量盐水特殊水源大量加荷。

·制定盐水排放控制条例,禁止在污水回收厂区域内销售和安装自动水软化装置。除了已呈送市议会待审议通过的条例之外,还包括公众教育、新的规章和条例以及改变建筑许可制度。在废水水质不适合回收利用的社区,考虑开展自发拆除现有低效水软化装置的运动。

·一项现场研究回收水、土壤和植物生长关系的持续发展城市计划,正由加利福尼亚大学合作服务中心在圣迭戈市许多试验场实施。

·圣迭戈水务局和南加利福尼亚大城市水管区在共同努力,以确保向污水回收的服务区输送盐度较低的原生给水。

·实施公众教育,支持城市持续发展计划,旨在妥善利用与处理商业和居住活动的废品,重点放在污水回收厂服务地区。

·将低盐度原生(未处理的)水和回收水混合,以保持许可的总溶解固体浓度。目前正在设计回收水配水系统,在几个储存设施处,允许将该系统与原生水输水管的分叉管连接。

还有一些已经认证但此次未推荐实施的盐度控制措施,它们包括:

·在北城区污水回收厂服务区内,强令禁止使用现有自动水软化装置。

·定时开放自动水软化装置,以便在每天定时让含有高盐浓度的水流通过北城区污水回收厂。

·在盐度水平超过许可极限的时段关闭三重处理装置,污水回收厂采用旁路运行。因为工厂任务加重这个方案会产生较大的水力调度难度。

·对北城区污水回收厂中部分回收水进行脱矿物质处理以除去超量的盐。

·对原生水(在米拉马尔水过滤厂)进行脱矿物质处理以便在消费前除去过量的盐。

最后两项措施在实施前需要进行全面的技术、环境和经济评价,因而对财政影响很大。

为了向圣迭戈市提供质量合格的回收水进行重复利用,必须实施以上介绍的盐度控制措施。圣迭戈市打算以具有竞争性的价格(与饮用水相比)将回收水推向市场,所以必须有一个盐度控制方案,并要考虑能否取得财政上的支持。另外,对回收水定价及其质量之间的关系要有充分的认识。

14　沃尔特迪斯尼乐园水的再利用和回收

（Gregg Harkness，Jimmy Otta）

沃尔特迪斯尼乐园坐落在里迪克里克改建区（RCID）内，位于奥兰治县西南部和奥斯科拉县西北部，占地约 111km²。里迪克里克改建区和沃尔特迪斯尼公司子公司里迪克里克能源服务股份有限公司签订有补充和维护该区所有公用事业设施的合同。

有效管理水资源是维持迪斯尼乐园环境的一个主要因素。在20 世纪 80 年代后期，里迪克里克改建区开始规划未来水的利用和废水处理问题，断定将来必须综合利用可获得的水源。主要目标是减少对地下水的依赖，通过研究处理设施有效利用回收水。

14.1　水的使用情况

佛罗里达州地下水是里迪克里克改建区和佛罗里达州中部大部分地区惟一可饮用的水源。过去 25 年测压管水位下降 1.8m 以上的事实证明，该地区由于抽水量日益增加，使含水层负担过大。日前，里迪克里克改建区用水量平均为 5.13 万 m³/d，按照目前的用水量和发展规划，到 2015 年将增至 12.54 万 m³/d。水的需求量大部分来自于景区与高尔夫球场灌溉、游乐园地表面冲洗以及其他非饮用用水。在抽取地下水限量为 8.626 万 m³/d 的情况下，里迪克里克改建区认识到必须将这种宝贵资源的不必要使用限制到最低程度。

从地下抽取的可饮用水数量（4.674 万 m³/d）和收集进行处理的废水数量（目前 3.04 万 m³/d）两者差值可以看出诸如灌溉方面的非饮用水使用程度。根据实际情况，将废水处理成公众认可且环境允许的回收水作为非饮用水使用是可行的。事实上,佛罗里达州政府已指定用水紧张地区必须强制执行水的再利用,并且可能把这一政策向全州推行。

对整个沃尔特迪斯尼乐园回收水利用所作的研究可以得出结论:通过建立回收水再利用系统,可满足目前全年平均日需水量约1.52万 m^3 的需求。该处理系统还能满足预计未来需水量增加到3.42万 m^3/d 的需求。因此,里迪克里克改建区已着手进行水的再利用系统的规划,该规划还要求提高当前的废水处理水平。

14.2 废水处理

规划要求扩建现有的废水处理厂(WWTP),使其处理能力增至5.7万 m^3/d。新的处理流程要求回收水在快滤池进行处理,这样可避免把回收水直接排放到当地地表水域的里德溪(Reedy Creek)中,同时有益于回灌地下含水层。佛罗里达环保局(FDEP)规定的处理标准表明,该局重视排放回收水可能对当地地表水造成的不利影响,通过快滤池进行地下水回灌所要求的标准更严格。该标准要求回收水中生化氧含量与固体悬浮物总含量低于5mg/L,氮的总含量低于3mg/L,磷的总含量低于1mg/L,并且所含大肠杆菌的数目在限定值之下。这些限定值符合在公众可能接近的区域把回收水作为非饮用水使用时的有关条例要求。

里迪克里克改建区废水处理厂于1991年开始扩建,1993年初完工。

废水处理包括5道处理工序:用改进的巴尔代夫(Bardenpho)系统除去营养物质、一级澄清和二级澄清、深层砂过滤、高标准消毒和氯化消毒。由于方法不当或其他非正常因素,巴尔代夫系统不能满足除氮的要求时,过滤层也能除氮。剩余的磷通过三氯化铁除去。生物固体在浓缩器中浓缩,用过滤层脱水,堆成堆后通气体成为肥料。这种混合肥料对里迪克里克改建区是有益的。

扩建的废水处理厂可生产适合于排放到快滤池或再利用系统

的回收水。一种用途是将经处理过的废水排入迪斯尼世界的观光湖，其处理水平应高于现有回收水处理厂的处理水平。避免因抽入贝（Bay）湖（迪斯尼乐园中的一个天然水域）的地下水逐渐减少，而造成湖水水质下降。为了使排放的回收水能满足对湖水水质的要求，现已制定了一套高级废水回收计划（AWRP）。到目前为止，实施废水回收计划的结果令人满意。本文将举例说明下阶段实施水再利用方案的可能性。

14.3　快滤池

在里迪克里克改建区西边约 405hm^2 的区域内修建 85 个快滤池，其总底面积为 35hm^2。每个快滤池都建在地面以下至少 4.5m 深的非饱和土壤中，而天然地下水水面在 30m 以下。贮水和抽水设施修建在提供回收水给快滤池所属废水处理厂，并安装了输水管道和配水管道。1990 年 9 月，第一批快滤池开始投入运用，剩下的在 1991 年 2 月完工。

佛罗里达州环境保护局根据当地现有土层和地下水特性的资料，计算出本地平均水流容量为 3.8 万 m^3/d。为了测定其实际容量并取得进一步提高额定水力容量的数据，1990 年 9 月第一批快滤池建成时便开始测试，测试工作持续到 1993 年 2 月。尽管处理升级还未完成，但如果能连续监测地下水水质变化，佛罗里达州环境保护局允许向测试区域排放废水处理厂的回收水。为了加大回收水中固体悬浮物的去除量并减小滤池堵塞的可能性，目前正在加快新过滤层的施工进程。自 1991 年 2 月以来，95% 的回收水都排入到了快滤池，剩余的用来灌溉一个约 40hm^2 的林场。该林场自 1972 年以来就是里迪克里克改建区回收水处理系统的一部分。

在测试的第一阶段（1990 年 9 月至 1992 年 1 月），回收水被轮流输送到各个快滤池。通常向每个滤池放水 1 个星期，然后停放 4 个星期，使池底变干和地下水消散。此种 1:4 的安排比条例要求的 1:2 保守,而且里迪克里克改建区打算在将来的正常运用时采用。第一阶段的现场观测结果显示,正如所预计的一样,在某些区域地下水位上升比希望得快。

1992 年 1 月,新的运用计划在本地区全面实施,分为 5 个组。目的是测试本地是否达到容纳 5.7 万 m^3/d 回收水的负荷能力。正如早期测试所显示的,因地质差异,每组中各快滤池过滤能力有所不同。由于第 1 批只有 40 个快滤池参加测试,因而仅利用了 2.85 万 m^3/d 的负荷量。第 1 期各组按放水 1 星期,然后停放 4 星期的安排执行到 1992 年 10 月,此时再安排另外 45 个快滤池测试,而第 1 批停止测试。第二批各组测试到 1993 年 2 月。

整个第 2 阶段现场测试结果表明,5.7 万 m^3/d 的负荷不会使地下水位上升到地表以上,或变成无法控制的漫流,这是重新核定容量的主要标准。测量结果用来检验和校准模拟该地区实际特性的地下水流模型。然后进行静态模拟试验,以评估其提高到 5.7 万 ~ 7.6 万 m^3/d 时的负荷效果。模拟试验结果显示,排向快滤池的回收水达到 6.65 万 m^3/d 时,不会对地下水位产生不利影响。

部分测试还包括对每个快滤池渗滤能力的测定。快滤池水深不超过 0.6m 时,其水量能供应一周以上。总渗滤能力为 39.9 万 m^3/d,平均每个快滤池为 0.475 万 m^3/d。按照这个平均值,一旦 6.65 万 m^3/d 回收水在 5 个星期内轮流排放(也就是说,17 个快滤池装水 1 星期,此时其余的 68 个空闲着;每个快滤池空闲 1 星期),放水量将达到该地区总渗滤能力的 83%。这种安排保留了一部分渗滤能力来调整峰值流量,使运行具有较大的灵活性。

运行测试结果支持把该地区的平均日流量重新核定为 6.65 万 m^3/d。在快滤池系统需要扩大之前,这样做会显著延长放水时间。测试期间,在 10 口井处监测了地下水水质,并未发现在营养物质含量方面有不利影响。事实上,新废水处理厂生产的回收水和当地含水层中的地下水水质十分相似,可用来回灌含水层。

采用快滤池系统是卓有成效的,采用快滤池系统后里迪克里克改建区已不再向里德溪排放回收水。20世纪80年代末期以来里德溪中磷含量升高,里迪克里克改建区的废水处理厂必须增加化学添加剂设备以降低磷的浓度。尽管后来里德溪的水质已得到改善,但完全不向里德溪排放回收水才是保持水质最好的长期策略。快滤池投入运行以来,在里德溪中测得的营养物质浓度下降,这一事实有力地支持了这一决策。

14.4 回收水再利用系统

迪斯尼乐园废水处理厂的回收水再利用系统一期工程于1991～1993年进行设计和施工,并于1993年6月通过验收。其组成部分包括设置在废水处理厂的一个储水箱和抽水站以及24km长的输、配水管道。该系统为5个高尔夫球场和美化区(例如宾馆户外草地和公路隔离带)提供回收水用于灌溉。该系统还为公共汽车的冲洗设备提供非饮用水。到年底,预计生产的回收水可满足年日均需水量约1.14万 m^3/d 的需求。

因为回收水再利用系统投入运行,减少了抽取地下水作非饮用用途的抽水量,这对地下含水层是有益的。另外,回收水再利用系统增加了少向快滤池排放回收水的选择性,从而提高了处置回收水的可靠性,缓解了快滤池压力的增加。

根据冲洗街道、人行道以及公用事业设备冷却水等用水情况,预测回收水可能总需求量为4.94万 m^3/d。里迪克里克改建区未来的开发项目必须与回收水再利用系统连接使之能充分地使用回收水;对于已建的开发项目,如果需要且费用有保证,也要求同再利用系统连接,以便使用回收水。为了便于增容,回收水再利用系统在初期设计有富余容量,规划了延伸到EPCOT中心地区影响力最大的管道线路。在向佛罗里达州环保局申请许可证时,还设想了未来的扩建。如果运行条件适宜和水质能保证,佛罗里达州环保局允许在整个改建区规定区域对回收水进行再利用。

在佛罗里达州,回收水的主要用途是灌溉(其他城市很少有迪斯尼乐园这样大的入流量),这样虽然严格避免了直接接触使用回收水,但在其他方面也可使公众接触回收水。为了避免回收水再利用系统可能对雇员和公众带来伤害,里迪克里克改建区制定了用户指导手册、兴建与再利用系统相连接设施的技术规范、回收水服务规则和条例,并为雇员培训制作了录像带。

指导手册提供了回收水设备连接和运用的有关资料,介绍了公众可能进入地区使用回收水的管理要求以及如何满足这些要求的方法。其中一些方法是许多再利用系统通用的。例如仅在晚上进行浇灌;在回收水使用的地方树立告示牌,限制接近回收水设备以及供应回收水(非饮用水)设备的明确标识等。此外,还规定了其他一些要求,以尽量减少公共娱乐场所的接触危险。举例来说,在公共饮食或洗浴场所30m以内进行灌溉时,要求使用低抛物线喷嘴。在那些场所可能被打湿的器件,在公众使用前应擦干。餐桌、饮水贮存器这类很可能同人们皮肤接触的用具,在使用时用消毒抹布擦洗。

兴建和运用回收水系统的技术规范和条例重点放在不允许回收水进入饮用水系统,不允许两套系统相互连接上。为了避免因粗心导致两系统连接,在 RCES 核实检查两系统隔离之前,回收水不得提供给用户。如果 RCES 要求两者必须结合成一个整体,必须采取回流保护措施。

员工培训录像带指导迪斯尼乐园的员工怎样操作再利用系统。对于不同等级的员工,培训录像带的详细程度也各不相同。

14.5 高级废水回收计划(AWRP)

14.5.1 处理目标

1989 年,里迪克里克改建区制定了一项高级废水回收计划,以研究里迪克里克改建区废水处理厂处理的回收水能否通过贝湖和塞文桑斯湖(Seven sens Lagoon)(与贝湖相同的人工水域)间接排向里德溪。经与佛罗里达州环保局和里德溪水源用户开会研究，决定并制定了废水处理标准，即回收水水质等同或超过里德溪未受影响的基本水质，其浓度为流域自然特性改变以前原始要素组分的天然水流浓度。对于里德溪来说，佛罗里达州环保局关注的主要组成要素是营养物质以及氮和磷。

为了确定营养物质减少的程度，对美国地质调查所完成的里迪克里克改建区两个监测站历史数据汇编结果进行了研究。此外还研究了另外3处地表水的水质，其中两处是里德溪的支流。这些数据显示未受影响的基本水质中氮和磷浓度分别为 1.46mg/L 和 0.04mg/L。高级废水回收计划将研究这些标准，借以确定经处理工艺处理的水年均营养物质含量的极限值。

因为贝湖是一个休闲湖，所以排放标准必须考虑游客与经处理的回收水可能接触所带来的健康风险。由于存在感染的可能性，美国环保局把涉及身体接触的娱乐水域风险等级定为 0.001（即概率为 1 000 次接触产生一次感染）。因此，高级废水回收计划的第二个目标是有效地除去病原体，并达到和超过 0.001 的风险等级。

里迪克里克改建区废水处理厂设计的处理工艺可将氮和磷的含量分别降到3mg/L 和 1mg/L，但不能总是满足未受影响的基本水质的限值。取而代之的方案很可能是以微过滤和反渗透为主要处理工艺的新设备。两层薄膜能很好地除去可溶和不可溶的成分，包括氮、磷和病原体。为了确定和评价组成高级处理设备的最有效最可行的部件，已按照高级废水回收计划进行了测试。该测试方案已报经佛罗里达州环保局和州卫生与康复服务部批准。

14.5.2　卫生影响测试

南佛罗里达大学 Joan Rose 博士是研究水传染病原体卫生风

险的专家,他和佛罗里达大学 Samuel Farrah 一起进行了卫生影响测试,测试废水处理厂的回收水中是否存在各种当地的病原体(包括 E 大肠杆菌、杆菌噬菌体,Cryptosporidium Parvum,贾第鞭毛虫和肠道病原体)。测试结果显示,有些有机物根本不存在,存在的有机物含量很低,很难确定祛除病菌试行工序的效力。

在过滤、紫外线消毒和反渗透这些试行工序中,每道工序的废水先用选定的高浓度病原体在起控制作用的时段内进行接种,然后对产品水进行测试。结果表明,醋酸纤维膜与复合薄膜结合能非常好地阻止病原体通过,过滤和紫外线消毒也能阻止病原体。

为了确定试行工序能否满足美国环保局要求的 0.001 风险等级以及多重障碍膜组成的病原体通道能否提供适宜的可靠性和富裕度,采用以前开发的风险评估模型对测试结果进行了评估检验。评估结果显示,接触经废水处理厂处理的回收水(进入测试装置之前的回收水)风险水平为 $1.8 \times 10^{-4} \sim 6.0 \times 10^{-4}$,经各个测试工序再处理之后,风险水平进一步降为 1.0×10^{-13},远低于美国环保局为饮用水制定的 1.0×10^{-7} 的标准,而且测试装置的最终产品水基本上无病原体。像在废水处理厂中氯化消毒一样,过滤装置、反渗透薄膜以及紫外线消毒都能有效阻止病原体通过。因此,只有所有先进的处理工序都同时失效且废水处理厂效率急剧下降(这是极不可能的),才有可能超过 1.0×10^{-3} 的风险。

正式投入运行的反渗透设备,在其产品水排入贝湖或里迪克里克改建区其他水域之间时,必须进行卫生测试。在过渡期,可以把回收水排到再利用系统或快滤池。如果投产测试结果同试点设备的测试结果相同,则产品水可作其他用途,例如休闲乐园的水上游乐或洗衣店洗衣。

15 俄亥俄州埃文代尔通用电气航空发动机厂水的再循环/再利用系统

（Edmund A.Kobylinski 等）

通用电气航空发动机厂（GEAE）在俄亥俄州埃文代尔市202hm²的场地上生产商业和军用喷气发动机和燃气轮机，同时还进行一个发动机开发计划。对发动机及其各个部件进行测试，是该开发计划的一部分，也是 GEAE 严格的生产质量管理计划的一部分。GEAE 目前在25个活动试验室进行试验。发动机及部件测试包括耐久性测试、高空模拟，以及标准质量控制测试。发动机和部件测试计划是高度可变的，有时测试繁忙，有时没有测试。

按照排气许可证的规定，要求 GEAE 把发动机排气温度降低到低于222℃，需通过把水喷入超声速热气流中来实现。一部分淬火水蒸发，但约25%的淬火水变成废水。在淬火时，废水将吸收未燃烧尽的喷射燃料和燃烧的副产物（以石油为基质的碳氢化合物，把它作为油和油脂来量测）。按照现行的美国污染物排除系统（NPDES）许可证，把这种废水排入一条小溪。

发动机排出的淬火水不是 GEAE 惟一的废水流。安装发动机和部件以及把它们从试验室移走时，有时含泄漏喷射燃料、碳氢化合物、润滑油和冷却剂，这些泄漏物通过地板上的排水沟和淬火废水排水沟流到美国石油学会（API）研制的油/水分离器中，除去水中油和油脂，然后再排到允许的排泄口。

GEAE 已经被授予一个限制更严的新的 NPDES 许可证（见表15－1）。新许可证把油和油脂浓度的月均值和日最大值都限制为10mg/L，而且新许可证包括苯、甲苯、乙苯、萘球和三乙苯的数值限制。这些限制自1995年10月起实行。

GEAE 认为实际上很难满足这些新的限制,而且其费用也很高。不过,满足直接排放要求所需要的水质,似乎也满足作为淬火水再利用的标准。该项目的目的是想为重复循环/再利用设备制定一个概念性的规划。这种重复循环(再利用)设备应能使 GEAE 回收废水作淬火水使用。重复循环水也可用做新试验设备的生产过程用水,从而使 GEAE 节省扩大供应生产过程用水设备的费用。

表 15 – 1　NPDES 许可证限制的今昔比较

名称	昔日限制		目前限制 *		单位
	月平均	日最大	月平均	日最大	
油与油脂	15	20	10	10	mg/L
甲苯				2.40	mg/L
苯			0.972	1.10	mg/L
乙苯			0.108	1.40	mg/L
萘球			0.076	0.16	mg/L
1,2,4 – 三乙苯			0.013	0.18	mg/L
温度		32.2	28(夏天) 18(冬天)	29(夏天) 21(冬天)	℃
pH 值	6.5～9.0				

注: * 表示 1995 年 10 月开始实行。

15.1　方法

为了测定废水特性,GEAE 指定了采样计划,审查了水生产记录和现场管道图纸。为了设计再利用设备,必须确定所有的废水源,弄明废水是怎样和何时形成的,并了解废水的化学性质。

在大多数情况下,描述废水特性是相当简单的。然而埃文代尔市的设施已将非接触的冷却水进行重复循环,生产可饮用水(也称生产过程用水)、一次使用的生产过程用水和两次使用的生产过程用水等 3 种水供使用。因为在生产过程中废水已被使用过,在蒸发过程(例如在冷却塔内)的某一时间,必须分析水样中的总溶解固体(TDS)和特殊离子。也必须就溶解固体(TDS)方面描述可饮用水的特性,因为经重复循环的水的主要用途是在蒸发过程中,TDS 的浓度会增大。因此,针对总水质指标(例如油和油脂、TDS、化学需氧量)和特殊污染物(例如钙、硫酸盐、挥发性有机化合物)对废水进行分析。

对 7 个 API 分离器系统都规定了用水模式和用水量。由于试验计划的高度可变性,各个试验室的峰值流量比平均流量大得多。然而,各试验室的综合峰值流量受可能同时进行的试验项目数目限制。许多试验是用压缩空气(20 个大气压)进行的。所需压缩空气的数量取决于要进行试验的类型和要试验的发动机及部件类型,所以压缩空气的供应限制着试验。这样,同时试验的所有试验室的峰值流量综合值比各个试验室的峰值流量总和小得多,其关系见表 15 - 2。显然,任何被评价的处理方法都必须包括废水流量平衡。

表 15 - 2　设计平均和峰值处理流量

流量来源	平均流量 定额(gal/min)	峰值流量 单个(gal/min)	定额 综合(gal/min)
304 - A 分离器	93	225	20
300 气压井	145	1 500	20
18 号试验室和 19 号试验室*	550	1 900	1 900
冷却塔排污	40	60	60
500 - 1 分离器	283	800	260
703 分离器	321	800	150
707 分离器	220	220	110
13 - 1 分离器	97	255	97
增压器外溢	100		
未来总流量	1 849	5 760	2 617
现在总流量	1 299		

注:* 表示实验室在建,数据为设计流量。

对各个试验室试样所进行的 TDS 测试结果的质量平衡表明，平均约 25% 淬火水被蒸发。不同的试验蒸发的实际数量是互不相同的。试验室废水 TDS 的浓度为 190 ~ 391mg/L。对每个分离器的测试结果也进行了质量平衡，以评价除去油和油脂的效率。油/水分离器的性能良好，流出的油和油脂平均约 50mg/L。分离器的性能与水力负荷、油负荷和维护工作有关。

针对 BTEX 化合物（即苯、甲苯、乙苯和二甲苯）、萘球和 1,2,4 - 三乙苯，对各个试样也进行了分析。有机碳氢化合物的最高浓度列于表 15 - 3。研究得出的 BTEX 最高浓度为 4mg/L，设计即采用此值。

表 15 - 3 最大的实测污染物浓度和地点

污染物名称	浓度(mg/L)	地点
苯	0.254	B - 1 分离器
乙苯	0.057	B - 1 分离器
甲苯	0.250	500 - 1 分离器
1,2,4 - 三乙苯	0.027	B - 1 分离器
萘球	0.025	304 - A 分离器
二甲苯	0.437	B - 1 分离器

注:单个试样最大 BTEX 含量为 0.779mg/L,在 B - 1 分离器测得。

重复循环的水质要求是:必须是不结垢的和非腐蚀性的。因为重复循环水将用于蒸发过程中,其 TDS 浓度会增大。TDS 的设计浓度选为 500mg/L,并通过 500mg/L 的 TDS 浓度得出 Langelier 非侵蚀性的指标值。

15.1.1 处理方法

对单独、区域和中央的处理方案进行了评价。由于发动机和部件测试的间断性,单独和区域性处理方法的总处理装机容量明显大于中央处理设备的装机容量。因为现场缺乏设置单独处理设备的空地,这种方法难以实行,实行起来费用也很高。单独和区域性处理设施要求的运行人员也比中央处理设施的多。虽然单独处理设施允许各个经营单位负责处理它自己的废水和再利用的实践场所,但中央处理设施概念适合 GEAE 的管理方法,这种管理方法比单独或区域性处理方法好。已知中央设施的实施费用比单独处理设施的低,而且中央设施适合 GEAE 的管理哲学,所以采用了中央处理设施的方法。

15.1.2　处理方案

处理设施的长期目标是全面再循环。它必须能把从可漂浮的油和油脂到溶解固体各种污染物除去。

15.1.3　可漂浮的油和油脂

喷射的燃料及其副产物稍溶于水。测试结果表明,JP4 的水溶度达 20mg/L。因此,只要不存在乳胶液,废水中大部分油和油脂可作为漂浮物而除去。对于油和油脂的除去,可以考虑采用下列设备:重力分离器(API、CPI)、初级澄清器、分解空气浮选器(DAF)、澄清器、过滤器、超过滤器(UF)、氧化塘、贮存池等。GEAE 的工作人员熟练使用重力分离器,目前用来处理淬火水。现有的分离器能有效地除掉漂浮物,不过,水力过载时,它们不能满足排放限制。虽然 DAF 也能除去不少油和油脂,但这种装置必须加盖,为了除去挥发性有机物,气体要作处理。虽然 UF 可用来除去乳化的油和油脂,但废水流的升温可能对 UF 系统不利。因此,对于集中处理设备,选用了遵守流量平衡的 CPI 重力分离器(具有破坏乳胶体的 pH 调节)。

15.1.4　挥发性有机化合物(VOC)

适合除去 VOC 和可满足 GEAE 的要求(包括除去挥发性可溶的油和油脂和挥发性可溶的环辛二烷(COD))的方法包括:溶解化学(尽量减少可溶性)、洗涤(空气、蒸汽、真空)、活性炭吸收、化学氧化、生物学氧化和溶剂析出。在这 6 种除去 VOC 的方法中,只有 3 种被考虑。根据进一步的评价,由于技术上的考虑和费用原因,化学氧化、生物学处理和溶剂析出 3 种方法被放弃。溶解化学系改变废水的特性(例如 pH 或温度)来尽量减小油与油脂的可溶性。这种方法已并入可漂浮的油与油脂的除去工序中。

活性炭吸收是从水中除去有机化合物的另一种方法。活性炭系统的主要因素是吸附能力。一般说来,炭吸附含燃料的水混合物中挥发性和半挥发性化合物的能力较低。因此,没有把活性炭吸附选为除去挥发性有机化合物的主要方法,但把它选为除去非挥发性有机化合物的主要方法。

挥发性有机化合物也可在洗涤塔中转变成气态。空气洗涤器利用 Henry 法则关系和空气中缺乏挥发性化合物这一事实。蒸汽洗涤利用热能蒸汽压力增大有机化合物的挥发性把其从水中蒸发掉。真空洗涤器通常同蒸汽洗涤器一道使用,以提高蒸汽洗涤的效率并减少蒸汽的使用量。洗涤只把目标对准可溶 COD 中的挥发性成分,需要进行预处理,先把漂浮的挥发性有机化合物除去。如果有漂浮挥发性有机化合物进入洗涤塔,既需要较大的洗涤器,也需要消耗较多的空气或蒸汽,基建费用和运行费用两者都会增加。由于这些因素,GEAE 重复循环/再利用设备选用了带蒸汽相的粒状活性炭(GAC)的空气洗涤。该系统易于操作,评价认为它是最本小利大的。

15.1.5 总溶解固体(TDS)

总溶解固体的除去方法包括石灰(苏打粉)软化法(仅用于结垢成分)、反渗透、蒸发(蒸馏)、离子交换和电子透析等。石灰(苏打粉)软化法虽然对除去钙和镁有效,但不能除去溶解盐,因而被放弃。离子交换对于软水是一种有效的方法,但设备可能被油和油脂堵塞,而且这种方法产生 TDS 再生物多的水流,需要进行中和。蒸发(蒸馏)、反渗透和电子透析,通过各种除盐的方法,可以产生类似的结果。把这三种方法作了比较,以确定哪一种最本小而利大。成本比较表明,现值最低的方法是从第二阶段处理的一部分补充水流中除去 TDS。采用这种方法,重复循环可增大到近90%。在第三阶段可使用蒸发系统来处理一条流量约 14.2L/s 的支流,以除去 TDS 并使重复循环的废水量增加到约 99%。

15.2 讨论

可以用各种方式把各种除去污染物的方法加以组合,来生产适合在埃文代尔设施中进行重复循环的水。各种污染物(漂浮的油与油脂、挥发性有机化合物、总溶解固体)的除去可产生不同水质的水供重复循环。业已发现这个项目可以分成三个阶段,各个阶段产生不同百分比的重复循环水,同时发现这个项目分阶段实施将提供更有利的现金流。分阶段实施也能使 GEAE 从混合废水的处理中获得运行数据,以便改进较昂贵的 TDS 除去设备的设计。从工艺设计的观点来看,三个处理水平似乎是重复循环(再利用)废水的合乎逻辑的三阶段:

· NPDES 允许的排放;

· 排放减少;

· 排放减到最少。

15.2.1 NPDES 允许的排放

在 NPDES 颁发给 GEAE 的许可证中,要求 GEAE 在 1995 年 10 月 1 日以后遵守新的排放要求。图 15 - 1 为处理系统示意图。对于这种方法,约 65% 的淬火水将被重复循环。所有废水将通过油/水分离器和空气洗涤器进行处理,但只有 35% 的废水将用活性炭进行处理。虽然粒状活性炭接触器并不太贵,但年运行费用仍可能是很高的。因此,通过重复循环,炭系统的运行费用节省了2/3。

用质量平衡办法确定重复循环的水量。假设淬火作业中所使用的水的 25% 损失于蒸发,大约 1/3 的废水必须排到 NPDES 允许的排放口,以保持重复循环(再利用)水的 TDS 浓度约 500mg/L。把饮用水加到经过处理水的贮存水箱中,以弥补蒸发损失和排入小溪的废水水量。重复循环水的增加,大大地减少了发动机测试所需要的可饮用水数量。简而言之,废水重复循环,既避免了生产额外可饮用水的费用,又避免了 9 460m³/d 废水的处理费用(只处理 3 410m³/d 要排放的废水)。

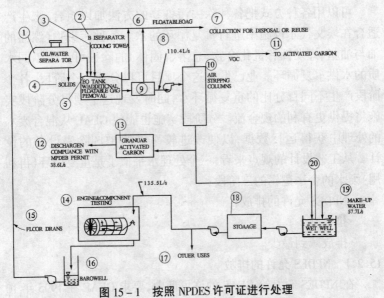

图 15－1　按照 NPDES 许可证进行处理

①—油/水分离器;②—B－1 分离器;③—冷却塔排污;④—固体物质;⑤—平衡水箱/除去能漂浮的另外的 OAG;⑥—能漂浮的 OAG;⑦—收集作处置或供再利用;⑧－110.4L/s;⑨—油/水分离器;⑩—空气洗涤塔;⑪—至活性炭(如果需要);⑫—按 NPDES 许可证规定的 38.6L/s 排放;⑬—粒状活性炭;⑭—发动机与部件测试;⑮—地板排水沟;⑯—气压井;⑰—其他用途;⑱—贮存箱;⑲—补充水 57.7L/s;⑳—湿井

　　处理系统由流量平衡、重力分离、空气洗涤和活性炭吸附等装置组成。平衡装置是用来贮存测试工作不多时待处理的废水。这样可以把系统设计成处理平均流量,既可节省基建费用,又可提高油/水分离效率。采用两个带破坏乳胶体的 pH 调节的 CPI 油/水分离器,来除去废水中漂浮的油与油脂。采用了一个供酸系统来把 pH 值降低到 3 ~ 5。每个油/水分离器配备聚结剂以增大油的除去量,分离器具有处理全部废水的能力。

油/水分离器后面设有两个空气洗涤塔,用来除去挥发性有机化合物。在油/水分离器之后空气洗涤塔之前,把 pH 值调整到 5 左右,尽量减少洗涤塔中的结垢。每个塔按处理 50% 的废水容量设计。一个洗涤塔运行时,废水容量将被减少到设计容量的 50%。各洗涤塔设计成按很低的气液比运行,以便尽量减少废气处理的空气流用量。如果需要,一种可恢复的 GAC 系统将用来处理洗涤塔排出的废气。约 65% 的洗涤塔排出的废水将重复循环到发动机测试设备,其余的将通过 GAC 系统进行排放。

GAC 系统用做除去萘球和 1,2,4 - 三乙苯的最后一步。将采用两个 GAC 接触器,每个含 GAC 约 9 000kg。当按设计流量 38.8L/s 运行时,系统空层接触时间(system empty bed contact time)为 15min。为了估计各炭层的两次更换之间的时间,进行了快速小型塔测试。估计在设计条件下,炭层每月需更换一次。

15.2.2 排放的减少

当需要满足更严格的排放要求,或需要增加重复循环水的供应时,将实施该项目的第二期工程。减少排放的方案示于图 15 - 2,它按前面谈到的 NPDES 排放系统建造。在该方案中,除去 TDS 后,重复循环的水量几乎可增加到 90%。

在研究 NPDES 允许的排放系统的质量平衡以后,发现溶解盐主要来源于补充水。TDS 可以从废水中除去,但是,因为废水含有油和油脂,要求严格的预处理薄膜分离法和热学方法的成本高的。选定的方案采用预防的方法,即从补充水中除去 TDS。通过处理补充水,与处理含油的废水有关的运行问题可以避免。该法不仅易于操作,而且反渗透装置产生的盐水可以排到污水管道。

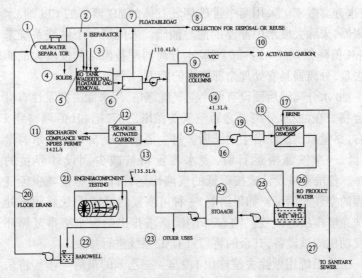

图 15-2　减少排放,除去补充水中的盐

①—油/水分离器;②—B-1分离器;③—冷却塔排污;④—固体物质;⑤—平衡水箱/除去能漂浮的另外的OAG;⑥—油/水分离器;⑦—能漂浮的OAG;⑧—收集作处置或供再利用;⑨—空气洗涤塔;⑩—至活性炭(如果需要);⑪—按NPDES许可证规定的142L/s排放;⑫—粒状活性炭;⑬—排污;⑭—补充水,41.3L/s;⑮—湿井;⑯—MVR产品水;⑰—盐水;⑱—反渗透;⑲—Cart过滤器;⑳—地板排水沟;㉑—发动机与部件测试;㉒—气压井;㉓—其他用途;㉔—贮存箱;㉕—湿井;㉖—反渗透产品水;㉗—至污水管道

　　理论上,从补充水中完全除去TDS,淬火水就可以重复循环。然而,TDS可以从其他地方(例如从地板排水沟和腐蚀)进入废水,所以一些水必须排入小溪以保持重复循环水的TDS浓度为500mg/L。虽然排入小溪的水量显著减少,但活性炭系统仍然是需要的。

　　反渗透系统的初步设计是根据除去90%的盐和回收80%的

水进行的。这将把补充水的 TDS 含量从约 300mg/L 降低到 30 mg/L。初步设计包括两个滑轨反渗透系统,每个系统的额定流量为 17.7L/s。将根据贮存池的水位或淬火水流的 TDS 浓度来调节。

15.3　排放减到最少

零排放所要求的方法改进示于图 15－3。反渗透系统流出的盐水仍可以排入污水管道,因为它是生活用水经进一步处理排出的污水。生产过程用水要在洗涤重复循环水流的废盐返回洗涤塔之后才排污。各种各样的废水源把含有 TDS 的水提供给该系统,所以排污仍是必需的。排出的污水将在一个热学蒸发系统中处理,蒸馏出来的水将回到再利用系统。盐水将送到盐水池,即贮存起来待处置。

初步设计要求一个单一的机械蒸发增压(MVR)装置,额定流量为 14.2L/s。正常运行时,不使用 GAC 接触器。在 MVR 维修期间,废水将通过 GAC 塔排到 NPDES 允许的排放口。这样,尽量减小把废水排到 NPDES 允许的排放口,整个系统包括:

· 废水平衡和贮存设备,后接加大油/水分离装置;

· 空气洗涤/废气炭处理设备,后接已处理的废水贮存池;

· 要排放的水的粒状活性炭处理装置;

· 除去补充水中盐分反渗透装置;

· 排污水的机械蒸发增压处理装置。

对金属最后加工的废水汇入发动机与部件测试废水再利用设备的做法进行了评价。这种做法只有当排放期极短时才是可行的。金属最后加工的废水排到 MVR 以除去各种盐、金属和非挥发性的 COD。对金属最后加工的废水特性进行研究,以确定它对再利用系统的影响。数字模型的计算结果表明:把废水混合的做法是可行的,但峰值流量条件尚需作进一步评价。该做法的惟一特点是,最后加工金属的废水可作为发动机测试的补充水(水损失于蒸发)。然而,当发动机的测试任务很少或没有任务的时间延长时,最后加工金属的废水可能通过 MVR 进行处理,而低 TDS 的产品水则必须重复循环作为冷却塔的补充水,或作为金属最后加工的生产过程用水。

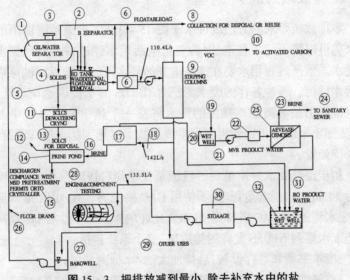

图 15 – 3 把排放减到最小,除去补充水中的盐

①—油/水分离器;②—B – 1 分离器;③—冷却塔排污;④—固体物质;⑤—平衡水箱/除去能漂浮的另外的 OAG;⑥—油/水分离器;⑦—能漂浮的 OAG;⑧—收集作处置或供再利用;⑨—空气洗涤塔;⑩—至活性炭(如果需要);⑪—固体物质去水干燥;⑫—水蒸气;⑬—待处置的固体物质;⑭—盐水池;⑮—按 MSD 预处理许可证排放;⑯—盐水;⑰—机械蒸汽增压蒸发器;⑱—排污;⑲—补充水 23.7L/s;⑳—湿井;㉑—MVR 产品水;㉒—Cart 过滤器;㉓—盐水;㉔—至污水管道 47L/s;㉕—反渗透;㉖—地板排水沟;㉗ – 气压井;㉘—发动机与部件测试;㉙—其他用途;㉚ – 贮存箱;㉛—反渗透产品水;㉜—湿井

15.4 结论

生产过程中废水的重复循环和再利用,是简化废水处理和遵守更加严格的 NPDES 许可证限制的可行方法。GEAE 正在设计一个系统,试图最终再利用几乎所有的发动机与部件测试的废水,目前这些废水排到允许的排放口。通过分期实施这个工程,GEAE 可以推迟投资,并可为比较昂贵的 TDS 除去系统提出更为正确的设计,这将降低该系统的现值成本。在实施了第 1 期工程以后,排到 NPDES 允许的排放口的废水将从 9 460m³/d 减少到 3 410m³/d。在实施了第 2 期工程以后,排到该排放口的废水数量将减少到不足 1 140m³/d。在最后阶段,从发动机与部件测试场地排到排放口的流量,在正常运行情况下,几乎为零。总之,该研究的结论是:

·发动机与部件测试所产生的废水可以处理和重复循环,以尽量减少排到 NPDES 允许的排放口的废水数量;

·废水集中化处理是最好的方法;

·处理金属最后加工过程的废水可以并入集中化处理设施。

目前,GEAE 正进行再利用设施的第 1 期工程设计,如图15 – 1 所示,计划于 1995 年投入运行。

16 对水回收和再利用需研究问题的评估

（James Crook 等）

城市废水的再利用,在美国西部和西南部干旱地区已经实践了差不多 1 个世纪,在佛罗里达州最著名的西南部,也有近 20 年的历史了。近年来,美国其他一些地区对水回收和再利用的兴趣也不断增长,因为淡水供应与迅速增长的需求之间的矛盾越来越突出。

作为水资源管理组成部分的水的回收和再利用,其价值已为美国的供水行业和废水处理行业所认识。为传播水的再利用的信息,已作了以下几项重要的工作:

·1980 年,美国环境保护局出版了《水的再利用指南》。

·美国水工程协会研究基金会、水污染控制联合会(现为水环境联合会)和其他机构举办了 4 次水的再利用研讨会(1979、1981、1984、1987 年)。

·1983 年和 1989 年,水污染控制联合会先后两次出版了《水的再利用实践手册》。

·1984 年,美国水工程协会出版了《双供水系统实践手册》,不久出了该书的第二版。

·1992 年,水环境联合会召开水再利用专业会议并出版会议论文集。

·1992 年,美国环境保护局和美国国际发展局出版了题为《水的再利用指南》的综合指导手册。

虽然近几年来出版了不少资料,但仍存在资料缺口和未解决的问题。这些问题,如果不作进一步的研究,不收集足够多的资料并对其进行分析,是得不到解决的。在确定和解决重要问题的过程中,首先要对现有的资料进行综合研究,然后确定需要研究的问题。

1992 年,水环境研究基金会选定坎普德雷瑟麦基公司作水的再利用需要研究问题的评估。该评估项目的目的是:

·对与水的回收和再利用有关的现有资料和有效的科学数据进行评述性研究;

·确定有资料和无数据的具体地区,以便作进一步的研究;

·给已经确定的需要研究的问题排序。

1994 年 1 月,水的再利用评估的最后报告初稿提交给水环境研究基金会,以供同行审查。本文是该报告的摘要。

16.1　工作方法

编写《水的再利用指南》时,美国环境保护局对 1992 年以前发表的资料进行了评价。该评价所用的出版物是通过电脑进行大量的文献检索获得的。评估回收与再利用需要研究的问题时,通过扩大文献检索的范围,对《水的再利用指南》中的资料进行了补充,包括 1993 年全年发表的文件,以及征集到的"灰色"文献(即未发表的论文、报告、小册子和档案材料)。

1993 年拟定了报告初稿,对水的再利用现状进行了概括。报告初稿还确定了 71 个可能的研究专题,涉及公共卫生、回收水处理工艺、盐度与总溶解性固体颗粒问题、储水、规章与法律问题、成本与筹资、公众接受与参与及用户问题等领域。报告初稿中列出的背景材料和可能研究的专题,作为 1993 年 10 月在加利福尼亚州阿纳海姆市举行的水的再利用评估议程背景研讨会暨水环境基金会第 66 届年会与展览会会上讨论的重点。此次研讨会目的是确定需要研究的问题并初步排序,使报告初稿在与会者中传阅,保证最后文件能全面反映行业的评论和意见。表 16 - 1 所示为与会者推荐的 10 个研究题目。

根据研讨会的讨论结果,水环境研究基金会项目小组确定了对提高城市废水回收和再利用认识水平最有用的 6 个研究项目。选择推荐的研究任务时,要考虑众多因素,如文献审查中所发现的资料缺口、研讨会上对需要研究问题的优先排序、同行审查的意见等。尽管大多数选中的研究项目对饮用水和非饮用水的回收和再利用均有益,但仍未包括饮用水再利用所需的毒理学和流行病学方面的研究内容(为了满足《安全饮水法》及其修正条款的要求,对这两个方面已经进行了大量研究,预计将来还要进行研究)。如果把这部分内容也包括进去,它们需要研究的问题将超过非饮用再利用所需要研究的问题。

表 16-1 研讨会与会者推荐的水再利用研究题目

序 号	题 目
1	颗粒物粒径分布的影响
2	确定适用的指示生物
3	公众接受方式
4a	微生物风险评估模拟
4b	回收水的储存
6	清除重金属和 SOC
7	回收水用于农业时产生的健康问题
8	处理工艺,如薄膜
9a	饮用水再利用的公共教育方式
9b	州回收水再利用法规的评价

拟建研究项目的选择和优先排序,取决于主要研究者和其他项目组成员的判断。项目选择的主要原则是:

·研究项目应产生明确的、广泛的和实际的效益;

·研究目标应该很容易达到;

·研究工作应能在合理的时间内完成;

·研究经费应与水环境研究基金会的筹资能力相适应。

除了研究公众接受方式这个项目外,选定表 16 – 1 前 6 个可能的项目进一步研究。项目小组得出的结论是,为了解决公众对水再利用的关注而进行的公众接受方式的研究已经够多了,且公众教育和参与计划的资料也很容易从各种来源得到。因此,公众接受这个研究项目,虽然研讨会与会者将其排在前面,但在进一步的研究项目中不予考虑。排在最后的 4 个可能的研究项目,虽然值得研究,但未包括进来。因为一方面研讨会与会者把它们排在后面,另一方面,这些项目所涉及的各种问题都已包括在选定的项目内。这样,从研讨会推荐的项目中总共只采用了 5 个项目。

项目小组认为,需要对回收水的管理进行研究。因此,加上"非饮用水的管理"项目,这样就涵盖了与回收水系统有关的管理、成本、筹资、机构设置、法律与责任等方面。

16.2　推荐的研究项目

水环境研究基金会报告推荐的 6 个研究项目见表 16 – 2,下面就按优先次序加以介绍。

表 16 – 2　水环境研究基金会报告推荐的水再利用研究项目

序　号	项　　目
1	微生物风险评估模拟
2	确定适用的指示生物
3	颗粒物粒径分布的影响
4	回收水的储存
5	非饮用水的管理
6	清除重金属和 SOC

16.2.1 微生物风险评估模拟

16.2.1.1 研究目的

风险管理决策影响水的回收标准和回收水再利用区的控制。该研究项目的目的就是确定把微生物风险方法作为风险管理决策基础的可行性。

16.2.1.2 背景与原理

保护公共卫生的回收水水质的微生物标准,一般视采用的指示生物而定,既要考虑大肠杆菌总量,也要考虑粪便大肠杆菌数。所有现行的州水回收和再利用条例,都把总大肠杆菌和粪便大肠杆菌作为指示生物,但少数条例对于回收水的某些高级用途,也要求对病毒和寄生虫进行监测。处理要求和水质要求都是基于现有回收水处理厂的经验、研究结果与示范研究结果、可获得性、公共卫生与环境工程师们的判断。各州执行的标准颇不一样,没有一个州水的再利用条例是基于风险评估方法所确定的具体健康风险。

考虑到把大肠杆菌作为水质或处理有效性指标的局限,以及对水质的微生物标准,管理人员和微生物学家均未形成一致意见,现有标准的适宜性在一些州受到怀疑。显而易见,虽然一般说来,水的再利用标准实质上很保守,仍须根据严格的风险评估为这些标准找到坚实的科学依据。

病菌直接测量技术(例如核酸探测、聚合酶链锁反应技术)的进步,以及微生物风险评估的发展,使得能根据病菌分析结果,采用制定水质化学标准所用的方法平行地制定水质的病菌标准。风险分析是评估饮用水和回收水中微生物所产生相应健康风险的一种有效工具。对现有的风险评估法进行评价并确定开发病菌风险评估模型的可行性,这种模型是回收水中各种用途的微生物水质标准和其他控制标准的基础。

可以预计,该研究项目完成后,其后继项目是建立一个适用的回收水风险评估模型。

16.2.1.3 研究任务

该项目的主要任务是：

·对风险评估研究的有关文献、技术、方法和资料缺口进行审查；

·对用于表示文献中病原体剂量反应数据的数学模型(包括对数正态模型、β模型、指数模型和对数模型)进行评价；

·评价现有风险评估方法的适宜性及其结果精度，包括输入变量的敏感性分析；

·就建立《确定回收水利用风险水平的综合微生物风险评估模型》所必须研究的内容提出建议。

16.2.2 病原微生物新指标的确定

16.2.2.1 研究目的

该项目的目的是：

·审查有关传统和备选的指示生物(包括梭状芽孢杆菌、噬菌体和耐酸微生物)的文献；

·进行适当的室内试验和现场研究，以确定在重要水传播病原体出现与消除的同时，所选指示生物出现与消除的情况；

·确定备选指示生物；

·就选择专用指标需进行的进一步研究工作提出建议。

16.2.2.2 背景和原理

生物的大肠菌类，传统上既用做回收水的水质(污染)指标(在规定标准的范围内)，又用做处理效果的指标。之所以选用大肠菌类，是因为它们在温血动物粪便中自然出现的浓度，比细菌病原体出现的浓度高，而且可以很清楚地检测出来，与粪便污染物正相关，通常对环境条件和处理工艺的反应，与许多病原体的反应相同。然而，许多病原体抗处理性(特别是消毒)，显然比传统的指示生物强。因此，水回收工艺使得指示生物消除的程度高并不表示病原体消除的程度也高。

过去 10 年中,美国环境保护局一直建议改用肠内链球菌作为指示生物。然而,大家都没接受这一建议,因为用大肠杆菌或肠内链球菌作为水质指示生物都有缺陷。指示生物的极限值依靠流行病学的研究来确定,而这种研究未必总是一再地进行。随着近几年来分析检测技术和识别技术的进步,可以越来越明显地看出,单靠大肠杆菌不足以表示病原体(特别是病毒和寄生虫)的存在及其浓度。此外,有越来越多的迹象表明,比较温暖的气候是产生和繁殖非人类输入的指示生物的条件。对新出现的病原体生物(特别是像非人工水库中产生贾第虫和隐担孢子这类原生动物)的关注,使得人们对使用主要因人类粪便产生的指示生物产生了怀疑。

排放经过处理的废水,对公众健康造成的风险是有限的。回收水中存在病原体生物,利用回收水又使人们直接接触、吸收或吸入回收水,这比排放经过处理的废水对公众健康造成的威胁更大。因此,要求指示生物必须进行在线测量,以便能够瞬时而连续地显示处理的全过程和废水的水质情况。

指示生物的研究对饮水的供给监测也是很重要的,而且这种研究应该有饮用水方面的机构参加。

16.2.2.3 研究任务

该项目的主要任务是:

·审查有关指示生物的文献,并将收集到的数据(例如优点、缺点、分析方法、监测费用等)用矩阵的格式加以概括;

·为进一步研究选定可能的指示生物;

·进行适当的室内研究,以确定废水中是否有指示生物和重要的水传播病原体,并测出其浓度;

·在几家有代表性的回收水处理厂进行现场研究,检验和扩充室内试验数据。采集用于分析的样本,包括未处理的废水和经过几道处理工序(包括二级处理、过滤和消毒)后的废水;

·确定常规废水处理各单元工序所消除的指示生物量和病原体生物量；

·对采用一种指示生物结合专门的处理工序作为指示回收水中病原体生物存在和浓度的方法进行评价；

·确定备选指示生物,指出其优缺点,在选择一个具体的指示生物之前就应对进一步做的研究工作提出建议。

16.2.3　评估工艺选择对颗粒物粒径分布的影响

16.2.3.1　研究目的

该项研究的主要目的是评估废水处理中工艺设计和操作对前驱物粒径和特性的影响。前驱物的粒径和特性将决定是采用氯、臭氧、紫外线照射进行消毒,还是采用其他工艺。第二个目的是评估粒径和粒径分布对工艺选择和操作的重要意义。第三个目的是评估薄膜在制备消毒水或在替换常规消毒剂方面的作用。

16.2.3.2　背景与原理

拟广泛应用的回收水,应该具有合格的水质,不得由于灌溉中无意吸收、接触、吸入喷水,或无意吸入冷却塔排出的悬浮微粒而传染疾病。因此,在配送回收水之前,必须充分消毒。氯和紫外线照射消毒的有效性随拟消毒水中所含颗粒物浓度和粒径大小而变。氯和紫外线照射都不能穿透较大的颗粒,处在颗粒阴影之内的微生物可因避免受到紫外线照射而存活。

目前,缺乏废水处理后所含颗粒物浓度及粒径分布的资料,也缺乏所选处理工艺与设计对颗粒物粒径与特性影响方面的资料。对颗粒物粒径分布的了解,除对消毒有意义外,对废水处理和回收水单元工艺(例如过滤单元和生物学单元)也是有价值的。回收水非饮用水用途的过滤器设计,与饮用水用途的不同,其目的是修改常规过滤器以减少建设费用和运行费用。就生物学单元而言,粒径可能影响反应速度,进而影响废水处理速度和处理工艺对粒径的要求。虽然为了在回收水的配水系统中保留残余水仍需继续使用氯,但如果选择得当的话,薄膜即可用于消毒前的过滤,甚至可取代常规的消毒剂。

16.2.3.3 研究任务

评估粒径分布的主要任务是:

·审查有关文献及相应的运行资料,把这些资料联系起来,并确定未了解到的内容和合适的研究场所等。

·确定待评价的工序。这些工序包括废水处理厂的初级处理和二级处理、运行回收水厂的各种过滤器类型,以及稳定塘或精度处理塘等。应确定可能适用于废水回收的过滤薄膜,例如微滤膜和超滤膜。

·确定各种粒径分布下与消除效果有关的待定设计参数和运行参数,重点放在过滤参数上。

·为试验方案选择工艺、薄膜和配置,并对试验作出安排。某些试验可以适当地在运行的设备上进行,而其他试验,特别是薄膜试验,则须小规模地进行。

16.2.4 回收水的季节性储存

16.2.4.1 研究目的

该项目的研究目的有两个。第一个目的是,建立计算各种灌溉季节需水量的通用模型;第二个目的是,评估美国各种环境条件下地表储存和地下含水层储存对回收水水质的影响。第二个目的包括对防止地表水库水质降低和提供再处理的几种方案进行评估,并研究回收水不作饮水水源储存在地下含水层的可行性。

16.2.4.2 背景和原理

在将回收水用于非饮用目的的地方,一般说来,需要进行季节性储水。这是因为在干旱季节需水量超过产水量,特别是主要用于农业灌溉和城市灌溉的地方更是如此。与季节性储水相关的问题是确定需要储存的水量和保持回收水水质。

储水量的确定与确定常规饮用水所需储水量的方法相似。但同常规供水系统不同的是:虽然回收水水源比较均衡而稳定,但需水量却经常大幅度波动;并非所有的回收水都能被利用,怎样处理也有所不同。对于普通的地表水库,多余的水可以通过溢洪道向下游宣泄;对于回收水,究竟是向河里排还是向地下排,都得经过批准。在需水量大部分为灌溉用水的地方,尤其要求评估需水量的方法是否合适。

虽然已经提出了好几种确定灌溉季节性储水量的方法,但还需要建立一个综合模型。该模型应能根据回收水的多种用途和全年需水量的变化,确定所需的季节性储水量。因此,该项目的第一个目的是确定特定地点的灌溉需水量(其他非饮用需水量,例如冷却塔用水、洗车用水、冲厕用水、建筑用水和工业用水,一般季节性变化不很大。这些非灌溉用水量愈大,灌溉需水量季节性变化的影响愈小)。回收水的生产率是已知的,一旦总的需水量被确定,储水量的计算就比较简单了。

储水对回收水水质的影响(包括减轻不利影响的方式)是该项目第二个目的的基础。用于城市非限制用途的回收水,已经过二级处理(过滤和消毒),但营养物仍然很丰富。营养物丰富的回收水储存在露天水库,水质会降低,使用时一般需要重新过滤和消毒。回收水储存在地下含水层中是可行的,但使用时,需要对回收水重新进行处理。解决水质问题有许多可供选用的方案。

16.2.4.3 研究的任务

该项目的主要研究任务是:

·用降水量、蒸发量和各种灌溉需水量建立一个通用模型,用该模型来估算美国各地水再利用的月需水量。

·确定已利用回收水的灌溉工程的月需水量,然后用这些数据验证模型。

·审查有关文献,确定除灌溉以外的城市非饮用利用回收水的需水量。对于某些用途,例如改善环境的用水特点,需要进行研究。

·收集美国一些地区废水产量的月变化资料,以此作为计算储水量的依据。

·收集各地目前利用露天水池储水的资料,包括为减轻不利影响而采取的一些措施方面的资料,例如采取重复循环、曝气、加凝结剂或毒物以控制水藻的繁殖等。

·对通过建立吉本—赫兹伯格淡水透镜体将回收水储存在非饮用盐水含水层的可能性方面的现有资料进行分析。

·根据现有的资料,确定回收水注入地下储存的水质要求,并评价改善水质的可能性。

16.2.5 非饮用水的管理

16.2.5.1 研究目的

如果现有的城市废水回收系统的管理有条不紊,征税结构和筹资模式合理,那么这方面的研究宜从鉴定现有再利用计划开始。鉴定的例子在管理方面应尽可能多样化,对于在再利用方面比较严格的日本和其他国家的一些方案,也可以包括进来。具体目的包括:

·为规划、管理和相关规章制度模式各不相同的正在运行的水回收系统建档。可能的管理机构包括供水公司、废水处理公司、综合公用公司或新的回收水公司。此外,再利用计划可以是这样一种区域责任制:从参加该计划的社区收集废水,再把回收水配给各社区。

·收集回收水成本的各种估算实例和方法;明确废水回收工程和污染防治工程应分摊的成本份额;明确用回收水取代饮用水产生的效益;明确用回收水取代饮用水后,饮用水在取水、处理和配水等方面费用减少多少。成本估算须对回收水非饮用方案和饮用方案进行比较。

·收集回收水系统建设和运行所采用的筹资方式的实例。

·收集各种类型的价格结构,包括与饮用水和污水工程价格的关系。

·弄清在提供回收水服务中已经出现的法律和债务问题,包括向商业用户和工业用户提供服务时的规章约束及债务问题。

16.2.5.2 背景与原理

非饮用回收水服务是与水有关的第三公用事业,在市级或区级服务以及在州级管理方面出现了一系列新的所有权、管理和责任问题。出现的问题包括:规划、管理和机构设置,回收水成本估算,筹资与征税以及法律与责任等。

虽然向一个社区提供回收水服务的一般是一个新的企业,但必然会涉及到现有废水收集、处理和处置的工厂及其营运(这些工厂向回收水企业提供饮用水服务,其中的一些工厂将被回收水企业取代)。不论是建设新系统还是改造旧系统,规划是很重要的。在常规废水系统中,处理设施靠近处置点。对于再利用系统,回收厂最好靠近回收水市场,沉淀物通过污水干管运到靠近处置点的处理厂。规划、管理、机构设置、成本、筹资、征税、法律和责任等问题不可避免地要受到现有管理体制的影响。例如,地区供水和废水收集公用公司可向社区提供供水或回收污水服务,而社区再为每个用户服务。因此,这一领域的研究同技术领域的研究是颇不相同的,在很大程度上取决于对千变万化的实际情况进行实例研究的结果。

16.2.5.3 研究任务

本项目的主要任务是:

·从全国各地乃至国外挑选为达到上述目的可提供研究资料的各种回收水再利用系统,根据预定模式准备实例研究,以便在详细研究和比较时,能够很容易地从这些实例研究中获得资料。

·从大量的实例研究中,选出一些实例进行个案研究,并对规划与管理结构、机构设置、成本估算、筹资、征税、法律问题和责任问题进行比较。

16.2.6　灌溉水中金属和合成有机化合物的评价

16.2.6.1　研究目的

本项研究的目的是：

·查出灌溉水中存在的重金属和合成有机化合物及其对受灌植物群生长的可能影响，以及在灌溉食物链中各种作物可能产生的公共健康问题。

·评价减轻这些问题的方法，重点放在饮水水质监测还未涉及到的重金属和有机化合物。

16.2.6.2　背景与原理

回收水中所含的某些重金属，可能对受灌的园艺植物或人类食用的粮食作物造成有害影响。此外，用含有金属和难降解合成有机化合物的废水灌溉作物，会使食用这些粮食作物的人们产生健康风险。这些污染物在其他非饮用用途中不算重要。根据《安全饮用水法》和《清洁水法》，在饮用水中，对绝大多数的这类污染物已经作了限制性规定。自20世纪70年代环境保护局成立以来，关于消除这些污染物的研究已经列入该局的议程。因此，没有必要专门针对废水再利用再作一番研究。污染物对植物生长的影响已经引起人们的广泛重视。但这些污染物对直接食用受其污染食物的人们的健康的影响，或者这些污染物对人类食物链的影响，则注意得不多。经济作物和粮食作物现在是而且长期以来一直是用回收水灌溉，尽管人们注意了其可能传染疾病，却很少注意在用污水灌溉过的食品上存在的微量化学物质对人类健康的长期影响。

16.2.6.3　研究任务

本项目的主要任务是：

·研究有关文献，确定还未针对符合《清洁水法》和《安全饮用水法》进行研究的重金属和合成有机化合物中，哪些可能通过灌溉对植物群的生长或对食用受灌食物的人们的健康有影响。

·根据现行的灌溉制度建立风险评估模型。需要考虑的是承受风险的对象是灌溉工人、从事食物经营的雇员和食用这种食物的人们。

·从农业试验站和其他从事农作物生长研究的单位,收集重金属和合成有机化合物对植物生长影响的资料。

·如果上述研究认定这些污染物对植物的生长或消费者的健康均有显著的潜在风险,就应想方设法防止这些污染物排入废水,或在废水处理中开发消除这些污染物的工艺。

与水的回收和再利用有关的许多悬而未决的问题,只有通过有针对性地实施一些研究项目方能得到解决。水环境研究基金会报告中推荐的任何研究工作,不仅能够提高人们对水再利用的认识水平,而且能产生实际效益。尽管希望这些研究项目能够得到水环境研究基金会、美国水工程协会研究基金会和州环境保护(管理)机构等组织的资金支持,但目前正在参与水再利用工程运作(或计划参与运作)的机构也必须承担一部分研究工作。

17 得克萨斯州达拉斯市利用
回收水可能性的评估

（Jody Zabolio，Dawn Dobbs，

John King，Ronald B.Sieger）

原水水源的有效利用率正在下降，而开发和处理供水的费用又不断上升。如果这种趋势继续下去的话，经过净化处理废水再利用不失为一种具有吸引力的可供选择的解决方案。为了评价这种可选方案，达拉斯供水公司把回收水研究纳入该公司截流重点研究与废水处理总规划修订之内容。在研究中，确定了一些可能把回收水用于非饮用用途而不是饮用用途的地区。对一些比较具有吸引力的可供选择的方案的成本效益进行了评估。

该研究也是达拉斯供水公司所实施的一项回收水总计划的第一个步骤。该研究确定了一个可能的回收水初期工程，对达拉斯供水公司为了实施回收水计划所需考虑的一些管理问题也进行了讨论。

总规划修订内容之一是公众参与计划。在回收水研究过程中，通过召开公民咨询委员会会议和研讨会的形式，多次向公众宣传利用回收水的好处。

17.1 历史回顾

历史地看，至少要求具备以下 2 个条件之一，才能将成本效益比应用于回收水的利用中：

·供水不足；

·需要把废水从接收水体中除去。

除非具备上述条件之一，否则，利用现有饮水供给和处理设施

来满足所有用水需求比建立一个回收水系统要便宜得多。

在水和废水规划的各个方面,特别是在供水和处理能力的获得或开发方面,达拉斯供水公司已经走在前面。在获得供水和兴建水库方面由于有先见之明,已使达拉斯供水公司不仅可向达拉斯市,而且也可向紧邻达拉斯市的其他社区提供经济的饮用水。达拉斯供水公司由于拥有大量的水权,故能为这样大的地区提供用水。预计达拉斯供水公司拥有的水权直到2035年均能满足达拉斯市和其余服务区需水要求。因此,达拉斯供水公司并不急于另辟供水水源。

废水处理也是达拉斯供水公司的强项之一。达拉斯市的废水不是在中心废水处理厂就是在南端废水处理厂进行处理。这两个废水处理厂都有足够的能力处理目前的日均废水量。这两家废水处理厂的处理效果也是出奇的好。中央废水处理厂和南端废水处理厂都能消除氨,经过三级过滤后,即可达到美国污染排除系统排污许可证上规定的各项标准。由于处理厂排出的水通常比特里尼蒂河河水还要干净,故没有必要停止或减少排放。

达拉斯供水公司也把回收水作为饮用水供给。目前,废水处理厂处理的废水,其中13%以上是上游用户排放的废水。预计到2050年,这个百分比值将超过16%。达拉斯供水公司认为这种回收水是其未来供水的组成部分。

17.2 工程方法

该研究的范围主要包括下列各项:

·水的供需评估;

·确定可能利用回收水的地区;

·确定回收水可能的用途清单;

·回收水各种可行方案的分析;

·工程约束条件和实施效益的确定;

·为所选回收水方案作初步设计；

·确定实施方案和筹资方案；

·确定实施回收水计划所要考虑的管理问题。

以上项目是通过研究小组人员同达拉斯供水公司工作人员召开的一系列会议和研讨会，以及研究小组进行分析和设计来实现的。通过对目前和未来水的供需评估及其成本估算，研究小组为摸清回收水的需求量和确定回收水工程的经济可行性奠定了基础。

17.3 确定可能的回收水工程

为了定出达拉斯供水公司目前和未来为城市、工业和灌溉提供的用水量，进行了一次供水评估。评估结果为具体确定可能的回收水工程的范围、地点、兴建时间提供了依据。

可能的回收水工程通过以下 3 步来确定：

·审查达拉斯供水公司的抄表记录，定出达拉斯市 100 家最大的水用户。对明显要求饮用水的用户，例如旅馆、食品加工厂，都不予考虑。

·研究美国所有的回收水工程，以弄清楚成功工程的类型。

·工程小组同达拉斯供水公司工作人员一起进行研讨，对达拉斯市其他可能的回收水利用方案进行讨论，然后把方案定下来。

从这次认证工作得到的回收水利用方案的清单中，确定了约 70 户可能的回收水用户，包括 5 种再利用用途：城市灌溉、农业灌溉、工业及商业用水、供水扩大和其他综合用途。把这些可能的用户按地理位置分组，按组确定拟建回收水工程。

根据地理位置划分的结果，确定了 11 个可能的工程。在同达拉斯供水公司工作人员进行第 2 次研讨会期间，考虑下列 10 项标准的选择矩阵，对这些工程进行了评价：

·规章因数；

·公众接受；

·适销性；

·实施；

·环境效益；

·技术考虑；

·财政考虑；

·机构设置；

·公共卫生；

·工程量估算。

然后选定其中 3 个工程作进一步研究，并开展初步设计和经济可行性分析。

17.4 初步设计

被选作进一步研究的 3 个可能的回收水工程是：锡达克里克走廊工程、拉夫菲尔德走廊和达拉斯最南边(雷德伯德)走廊工程。下面对这些工程进行一一介绍。

锡达克里克走廊工程向中央废水处理厂提供回收水。回收水用途包括锡达克里克高尔夫球场的浇地用水、达拉斯动物园的浇地和装饰用水以及一家纸品生产厂的工艺用水和冲洗用水。

拉夫菲尔德走廊周围地区分布有许多企业，这些企业的生产用水量很大。靠近贝奇曼水处理厂的废水处理厂，将一根暴雨水分流排管通到一家先进的处理厂(水厂)，以便向各企业提供回收水，满足其工艺用水和冲洗用水的需要。

达拉斯最南端(雷德伯德)走廊工程所在地区目前有各种各样的用水单位可能使用回收水，且未来的一些建设工程也很可能使用回收水。一些拟建工程，如芒廷克里克国家墓地和达拉斯南部机场，随着该地区的发展可能会铺设双配水系统(生活用水和回收水管道分开铺设)。因此，无需更新现有的配水系统。

从经济和非经济的角度对 3 个工程进行了评价,从中定出第一个达拉斯供水公司可能首先实施的回收水工程。经济准则是回收水的价格,它随回收水供应的年成本和市场能承受的价格而变。为了使回收水能够销售出去,其价格必须低于现有饮用水的价格。非经济准则是水权影响、规章要求和环境影响。

17.5 回收水首建工程

对 3 个回收水工程进行了宏观成本估算。从这些估算成本得出的各个拟建工程提供回收水的单位成本为:

· 锡达克里克走廊工程:0.27 美元/m^3

· 拉夫菲尔德走廊工程:1.32 美元/m^3

· 达拉斯最南端(雷德伯德)走廊工程:1.56 美元/m^3

达拉斯供水公司水价是变化的,平均约 0.26 美元/m^3。虽然成本估算表明,所评价的工程中没有一个是费用低廉的工程,但相对来说,锡达克里克走廊工程成本最低,因而达拉斯供水公司很可能将其作为实施回收水计划的第一个工程。该工程估算的基建费用较低,因而提供回收水的成本只有其他两个工程的五分之一还少,而其能提供的水量较大。锡达克里克走廊工程的非经济评价也比其他两个工程有利。

该工程的实施要求对达拉斯市法规中有关回收水供应的规定进行修改。该规定要求配水设施的全部基建投资能从用户那儿收回,而且回收水水价必须按原水水价的一半来定价。然而,为了鼓励罗基·特恩(该工程确定的惟一私人用户)使用回收水,回收水必须费用低廉,能够替代饮用水。如果执行该市的规定,那么使用回收水所付的费用比罗基·特恩使用饮用水贵。为了使使用回收水成为一种费用低廉的选择,罗基·特恩很可能只支付配水设施费,而达拉斯供水公司必须承担运行和维修费用,还要免费向罗基·特恩提供回收水。

在锡达克里克走廊工程靠近中心废水处理厂废水排出点的一个泵站和若干压力干管将用来向可能用户提供回收水。该工程的全部回收水只限于灌溉用水和工业用水。得克萨斯州自然资源保护委员会已制定了回收水各种用途的法规。中心废水处理厂目前排出的水，其水质很可能比目前所考虑的回收水用途必须满足的要求还要好。

由于在评价的3个可能工程中，没有一个有回收大量废水的可能性，同时也由于没有一个是生产饮用水的费用低廉的方案，所以达拉斯公司对扩大供水的打算作了重新评价。在进行初步矩阵评价的11个工程中，有4个工程考虑了扩大供水。从可能回收的水量考虑，这几个工程是颇为理想的。从推迟开发新的供水水源来看，它们是最有效的。

4个扩大水源的方案中，有两个拟把处理后的净化水提供给未来的东南水处理厂作为原水水源的补充。由于把处理后的净化水用做补充原水水源，是为了推迟未来饮用水生产设备改造的时间，所以这两个方案都不需重新评价。

对扩大刘易斯维尔湖和雷哈巴德湖的原水水源作了重新评价。对把处理后的净化水返回到供水水库所需管道的基建投资，以及由于水源中含有净化产品水而必须进行附加饮用水处理所需的基建投资，都进行了评估。根据这些基建投资的年值和估算的年运行费用之和所得出扩大供水的单位成本为：

·雷哈巴德湖：0.50 美元/m^3
·刘易斯维尔湖：0.67 美元/m^3

根据另一项研究所作的成本估算，由拟建的东南水处理厂提供饮用水的估算单位成本约为 0.2 美元/m^3。因此，这些扩大供水的工程，同现有的或未来的饮用水生产相比，都不是费用低廉的工程。

17.6 未来回收水再利用的规划

正如在历史回顾一节中所讨论的,目前在达拉斯市不具备使用回收水的条件。此外,在本次研究所评价的可能工程中,都不是用做饮用水的费用低廉的方案。但是,增加供水可能比以往开辟新水源的费用要高得多;而且,从时间上考虑,回收水工程要比新的供水工程来得快,因而回收水工程有可能变成费用低廉的方案。不过,废水处理厂净化水的水质要求可能变得更严格。但是把污水排到特里尼蒂河也必须进行处理,这样一来,回收费用可能比处理费用更为低廉。妥善制定回收水政策,可顺利地过渡到广泛使用回收水。下面就未来再利用回收水提出建议,供达拉斯供水公司参考:

· 在选定的回收水再利用颇有前途的地区进行建设时,要求开发商铺设双配水系统;

· 研制能有效传递环境效益信息、供水增加信息和回收水总效益信息的公用信息程序;

· 制定能有效地收回初期基建成本和回收水供应的年费用的价格结构;

· 每5年重新评价本回收水研究结果,同时为两个废水处理厂申请新的全国污染排除系统许可证。

17.7 公众参与计划

本回收水研究是截流重点研究和废水处理修订总规划的一部分,实行了公众参与计划,使达拉斯市市民能即时了解在该项目各个发展阶段所考虑的一些问题。公众参与计划包括下列活动:

· 召开公民咨询委员会会议;

· 两次公开会议;

· 公民小组陈述。

公民咨询委员会由环境界、附近的重要集团和经济界的代表组成。市政府成立该委员会的目的是让来自各界的决策者把在委员会会议上所讨论的信息带回去让公民进行评论，然后将公民们的评论意见提交给随后召开的会议讨论。

回收水研究结果在公民咨询委员会的 3 次会议上进行了介绍，并进行了广泛的讨论。会议讨论的结果是：如果不产生经济效益，公众就不会支持回收水工程建设。

除公民咨询委员会会议外，还召开了两次向公众开放的会议，并进行了公民小组陈述。作为会议的一部分，在会上介绍了回收水研究的结果。在几次召开的会议上，就回收水问题进行了讨论，但未提到特殊的问题。

本回收水研究的主要结论如下：

·目前在达拉斯市不具备利用回收水的条件；

·就补充达拉斯供水公司的饮用水供应或推迟计划的水与废水生产设备改造工作来说，利用回收水目前不是一种费用低廉的方法；

·如果回收水工程变成一个必需的项目，或者可以获得实施该项目的资金，那就有机会比较经济地实施一个初期回收水工程；

·达拉斯供水公司应继续努力把回收水的利用纳入未来水与废水的规划中；

·达拉斯供水公司应每隔 5 年对本回收水研究重新进行评估，同时为两家废水处理厂申请新的全国污染排除系统许可证。

18 塔科马市废水用做非饮用水的可行方案

（Jane Evancho 等）

华盛顿州西部给人的一般印象是:绿树成荫、鱼翔浅底、雨量丰沛。在大多数年份,整个皮吉特海峡西部年降水量达 787 ~ 1 178mm。

融雪是该地区重要的供水来源。大多数公用供水来自喀斯喀特山脉的融雪。在过去几年,融雪供水赶不上该地区日益增长的需水速度。事实上,1987 年和 1992 年,皮吉特海峡遭遇了严重缺水,许多供水公司不得不强制采取节水措施。

塔科马市供水公用公司以格林河河水作为主要水源,辅之以地下水。这种补充水源以及 1992 年夏季采取自愿与强制的节水措施,使塔科马市供水公司满足了用户的需水要求。然而,制定一个开发所有可利用资源的区域规划,显然对塔科马市供水公司是有利的。

18.1 背景

需水量的不断增加使现有供水负担过重。华盛顿州各供水公司业已认识到,必须用发展的眼光来规划和经营水资源的利用。皮吉特海峡地区认识到需要解决长期的资源问题,如干旱、州的规章、工程建设投资大等。塔科马市供水公司按照区域合作的方式,加大资源综合规划的力度(包括对区域内供需双方的各种情况进行分析),来应对未来水资源利用规划的挑战。

把供水方案作为综合资源规划步骤的关键组成部分进行评价。把供水比较方案的原始记录扩大,以确定满足近期区域需要的方案。对各供水方案(包括地表水方案、再建蓄水工程、地下含水层回灌、交叉饮用和水的再利用)所产生的区域效益进行评价。本文介绍了废水再利用作为塔科马市的供水方案的发展情况。

18.2 华盛顿州的废水再利用

利用回收水取代或补充饮用水,用于除农业灌溉外的其他用途,是华盛顿州最近发展起来的一个项目。预计一些再利用工程将在未来几年内投入运行。目前正在申请立项的工程包括用于商业和工业用途、风景区浇灌、发电和制冰等工程。

1992年,华盛顿州立法机构通过了回收水法。华盛顿州卫生与生态局随即制定了水的回收与再利用临时标准。该标准于1993年5月1日生效。临时标准是参照加利福尼亚州和俄勒冈州的标准制定的。预计于1994年夏季通过的最后标准可能要推迟通过,以便把临时再利用工程所取得的更多经验和信息包括进去。

临时标准将用于各种用途(如灌溉和商业与工业用途)的回收水分成4级。废水处理的程度与预定用途有关,且在很大程度上取决于公众承受风险的程度。A级水是处理水平最高的回收水,要求进行氧化、凝聚、过滤和消毒,平均大肠杆菌含量不得超过2.2个/100mL。A级水可用于农作物灌溉、露天场所(open access areas)的灌溉,以及工人能够承受接触风险的工业处理用水。塔科马市供水公司提供的回收水将满足A级回收水的所有要求,也是本文讨论的再利用的那种水。

18.3 水源

沿塔科马市市界西缘和北缘建有3座废水处理厂。目前,3座处理厂旱季平均产水量为13万 m³/d。为了确定实际的废水流量,以及处理结果是否符合全国污染物排放系统的各项要求,对每个废水处理厂进行了评估。3座废水处理厂在现有二次处理的基础上,再加上过滤和消毒处理后即可生产出A级水。

钱伯斯河废水处理厂是活性污泥二次处理设施厂,处理能力为 6.8 万 m^3/d,经处理的废水排入皮吉特海峡。该处理厂由皮尔斯县公用事业局运营。预计该厂的处理能力在近几年内将增大到 9 万 m^3/d。

中央废水处理厂主要使用纯氧活性污泥法进行处理。该厂是塔科马市公用工程局运营的两座废水处理厂中较大的处理厂,位于一个工业区的中心。经处理的废水排入科门斯门特海湾。

处理能力达 2.66 万 m^3/d 北缘废水处理厂为工商业不发达、以住宅为主的地区服务。该厂是一座物理/化学二次处理厂,处理的废水排入科门斯门特海湾。为了更好地除去生物需氧量,最近增设了磨削生物过滤器。

18.4 回收水的应用

对三座废水处理厂各自服务区内潜在的工业用户和风景区灌溉用户进行了评估,以确定用回收水取代现有用水的可行性。被调查的用户并不是都使用塔科马市的饮用水,有些用户目前使用的是地下水。在塔科马市服务区内,有些井水中含有天然的铁和锰,这种水能够满足特殊的工业用途要求;但采用水质更好的供水(如果可以获得的话),则可不必在现场进行原水处理,且可提高产品质量。因此,如果觉得使用回收水合适的话,则可把地下水提供给塔科马市供水公司,换取可靠的、优质的回收水。

18.4.1 工业处理用水

回收水用于各种工业处理已有几十年的历史。位于马里兰州斯帕罗斯角市的伯利恒钢厂自 1942 年以来,一直使用二次处理的废水对金属进行直流和直接冷却。自 20 世纪 70 年代末以来,菲尼克斯市市外的亚利桑那州帕罗维迪核电厂所需的大量冷却水,就一直是用经过硝化、软化和除去二氧化硅和磷的二次处理废水。20 世纪 80 年代初以来,森库尔从阿萨巴斯卡沥青砂中提取重油所需的高温喷汽水的一半,是由加拿大邦尼维尔市附近城镇的二次处理废水提供的。

回收水用做工业处理用水的水质要求随用户的要求不同而异。使用回收水一般关注的问题是水质是否符合要求、供水是否可靠、总的净成本,以及工人的健康与安全。1993 年,塔科马市供水公司批准了一项旨在确定在其服务区内是否可以利用回收水的可行性研究。作为该项研究的一部分,对 5 个具有代表性的工业部门金属、化工、纸品、建材和电力业的 10 家公司进行了调研。

阿特拉斯铸造机械公司　阿特拉斯铸造机械公司位于塔科马中心废水处理厂的服务区内。近几年来,该公司用水量平均为 0.2 万 m^3/d,绝大多数水量耗于金属铸品的冷却。

从过去情况看,阿特拉斯铸造机械公司用于生产的需水量季节性变化不大,因为绝大部分供水被热金属铸件淬火蒸发掉了。回收水用于直接接触冷却可能会影响产品质量;必须说明回收水的特性,以确保不出现腐蚀、表面结垢与产品变色,以及过大的温度变化。

1993 年,阿特拉斯铸造机械公司决定建立冷却塔来减少或消除由冷却作业产生的废水。这个决定可使公司用水量减少 80%。要想在这种设施上利用回收水,重点应放在成本上。不过,随着来水需求量的减少,为新的回收水而投入基建投资的合理性是值得怀疑的。

凯撒铝业化工公司　凯撒铝业化工公司耗水量平均约 0.6 万 m^3/d,系从厂区 2 眼生产用井抽取。95% 以上的水量(即 0.58 万 m^3/d)用于 4 种用途:电解整流器的冷却用水、连续铸件的冷却用水以及两个空气压缩机服务区的冷却用水。饮用水仅为 34.2 m^3/d。

凯撒铝业化工公司需水量几乎全年不变。用回收水取代目前的井水,在经济上必须是合理的,而且还必须达到另外几项标准。同时,必须把饮用供水管系统同回收水供水管系统分开。把配水系统改成如此复杂的一种设施,其可行性应作认真仔细的评估。回收水必须是无腐蚀性的,必须解决有关人员的卫生保健问题;同时,废水排放还要满足一定的要求。凯撒铝业化工公司同其他公司的情况一样,如果得不出一个明确的结论,给社会产生的总效益可能成为其是否采用回收水的一个决定因素。

西方(Occidental)化工公司 西方化工公司(氧化公司)的工艺需水量远超过饮用水的需水量,其平均耗水量为 0.95 万 m^3/d。用水量超过平均用水量 40% 的波动是工艺需水量变化的结果,而不是饮用耗水量的增加。该公司约一半来水用于非蒸发冷却(工艺用水为预热水),其余的用于各种公用事业需要,例如锅炉给水和环境系统用水等。

是否用中央废水处理厂的回收水取代饮用水源,主要根据费用和水质决定。水质包括严格的成分限制和水温限制。回收水必须是无腐蚀性的。如果回收水具有合适的水质和可利用性,可用它来取代该公司目前工艺用水所耗饮用水的一半。

需水量季节性变化不大,但如果供水水温明显高于现有饮用水水温时,季节需水量会稍有增加。对于使用饮用水进行冷却的大多数设备,采用冷却水源产生的效益虽然很小,但还是可以看得出来。

大陆石灰厂 大陆石灰厂每个月(以 22d 计)耗水约 1.25 万 m^3,平均每天 0.06 万 m^3。其中 0.05 万 m^3 用于生产 2 种产品:水化石灰和碳酸钙(含水淤浆,用船运);其余的用于厂区的各种用途,包括饮用。把厂区的降雨径流拦蓄起来用于生产是不够的,因而求助于供水公司。因此,使用自来水是季节性的,且随降雨量的不同而变。

成本效益比与供水的可靠性是大陆石灰厂在决定是否采用回收水替代饮用水时考虑的主要因素。另外,回收水还必须达到以下标准:

·不含病菌；

·非病原细菌繁殖数低；

·配水管线系统和处理设备不受腐蚀。

杰菲逊容器公司　在调查的时候,杰菲逊公司既使用厂区生产井的井水,也使用自来水,用水量共计约 0.08 万 m^3/d。非饮用工艺用水量占工厂耗水量的大部分。

目前正在考虑采取厂内节水措施。实施这些措施之后,估计工艺耗水量可减少三分之二,即耗水量低于 0.04 万 m^3/d。由于杰菲逊公司依靠井水作为主要水源,在决定是否改用回收水时,成本和水质是重点考虑的因素。该厂称,除雨季重复利用的薄纸板盒的含水量使浆化用水量稍有减少外,全厂用水量没有大的季节性波动。

波依斯喀斯喀特西达科马纸厂　钱伯斯河废水处理厂同波依斯喀斯喀特纸厂相距不到 1km。波依斯喀斯喀特纸厂的工艺耗水量为 1.5 万 ~ 1.9 万 m^3/d。目前,供水为本地井水和钱伯斯河废水处理厂的回收水。

绝大部分非饮用水用于造纸,少量用于锅炉给水和其他非饮用用途。波依斯喀斯喀特纸厂决定使用回收水的依据有 3 个:

·回收水必须比现有供水便宜；

·水质必须适合造纸；

·本厂废水的排放能力不得受影响。

适合造纸的具体的水质标准是难以定量确定的,但回收水至少不应含颗粒物,特别是不能有有色颗粒或铁锈,且所含结垢的浓度不应大于现有供水。

波依斯喀斯喀特纸厂的有关人士指出,该厂需水量的季节性变化很小,因为水只用于生产,而不是用于补给蒸发冷却塔。

辛普森达科马牛皮纸厂　在对达科马的工业进行调查之前,辛普森纸厂已对利用回收水磨牛皮纸浆感兴趣,并批准进行可行性研究,讨论利用达科马中央废水处理厂二次处理废水的可能性。在研究期间,工厂的耗水量约为 11.4 万 m^3/d。其中 73% 用于冷却,其余的 27% 直接用于造纸。

在该研究中,把二次处理废水水质同辛普森厂目前所用的工艺用水水质进行了比较。为了保护人身健康、保证产品质量和满足全国污染物排放标准的各项要求,总大肠杆菌含量、颜色、TSS、磷和铜的含量等必须达标。研究认为,可以用 3.8 万 ~ 7.6 万 m^3/d 的回收水取代厂内生产所用的饮用水,视处理的程度而定。

在 1993 年回收水利用调查之前,辛普森厂采取了节水措施,使该厂用水量从 11.4 万 m^3/d 减少到约 8 万 m^3/d。在调查期间,如果定价适中、水质合格,估计还可用中央废水处理厂回收水取代另外 3.8 万 m^3/d 的饮用水。不过,不但水的差价必须有利,而且还须确保省下来的水费可以用于改造厂内于 1929 年修建的复杂管道系统。

影响纸厂利用回收水的 5 个主要因素是:

·不能对全厂职工的健康产生不利影响;
·产品质量(包括最后颜色)不受损害;
·对工艺系统无负面影响;
·回收水无腐蚀性,且不易结垢;
·水温不能比现有供水水温高太多。

多姆塔尔石膏厂 多姆塔尔石膏厂除每天可饮用水需求量 6 m^3 外,其实际生产用水量为 570m^3/d,其中 90% 的用水最终在烘干产品的过程中蒸发到大气中。因要保持各条销售渠道建筑材料的充足供应和满足当前的需求,多姆塔尔石膏厂用水量几乎全年不变。

虽然在多姆塔尔石膏厂利用回收水的准则中,经济考虑摆在第一,但顾客对其产品是否认同以及水质对生产过程有无影响也是需要认真考虑的因素。只要不是经济上极为不利,或者供水不会受到威胁,在饮用水供应受到限制期间,工业用水改为回收水是否对当地社会有益,也会影响多姆塔尔石膏厂作出的决策。

帕博科屋面材料厂　帕博科屋面材料厂每天的耗水量为 1 000m³,95%以上用于直流冷却,少量为饮用水和小锅炉供水。预计于 1994 年对厂区用水情况进行研究,用水量可能减少。因为该厂没有蒸发冷却塔冷却的设备,所以设备需水量几乎没有季节性变化。

该厂对是否采用回收水作出决策的主要准则是:扣掉全厂重新安装管道以形成两套供水系统所花的费用后,还能节省多少水费。此外,回收水不能有颗粒物,无腐蚀性,不结垢,水温应低于 38~44℃。

塔科马市第二汽力厂　塔科马市第二汽力厂日用水量为 1 500m³,其中约 90%用于蒸发冷却塔。目前,该厂正在改进厂区排水系统,截获厂区径流以供厂用。同时,正在对厂内用水的其他改进措施的可行性进行研究。

大部分供水消耗在蒸发冷却塔,这使得汽力厂的需水量呈季节性变化。蒸发冷却的高耗水率是火电站的特点。

由于大部分水用于非接触冷却,所以使用回收水的一个基本准则是:它必须不结垢,不会腐蚀铜合金热交换器。与其他考虑使用回收水的产业一样,改用回收水在经济上必须是有利可图的。

工业用回收水综述　回收水用在工业用途上,需要详细地描述回收水的特性,向潜在的工业用户提供必要的资料,使其作出有根据而又正确的决策。特性资料内容应包括详细的化学成分、腐蚀性、预计的年水温变化、细菌含量,还应包括诸如颜色、水垢、污垢和颗粒物含量等物理属性。

在回收水潜在的工业用户中进行市场调查以后,才可以作出是否为工业用途而实施一项回收方案的决策。这将有助于避免供水公司高估或低估实际需水量,提高潜在用户购买回收水的积极性。从最近的市场调查结果可以明显地看出,需要在相当长的时间内进行试验研究,才能弄清楚水质、供水稳定性以及回收水预计收费等方面的特性。

18.4.2 风景区灌溉

回收水用于风景区灌溉已经许多年了,科罗拉多州奥罗拉市自 20 世纪 60 年代以来,一直将回收水用于非饮用灌溉。加利福尼亚州罗萨地区回收水系统每天回收 6 万 m^3 的废水用于灌溉市有和私有土地。为了评估回收水在塔科马市应用的可能性,把研究区域分为 3 个区,每个区对应于废水处理厂提供回收水的一个服务区。对每个研究区域内的公园、墓地、高尔夫球场和学校等进行调查。

皮吉特海峡地区灌溉季节长约 3 个月,7 月份的灌溉任务最重。根据《华盛顿州土壤保持服务灌溉导则》,确定了西雅图—托科马地区草地和风景区的灌溉需水量。

对 3 个服务区都进行了水量平衡,以确定灌溉季节是否足够的 A 级回收水直接供应给用户,或者是否需要长期储水。水量平衡分析了各废水处理厂夏季生产的回收水总量和各灌溉场所的需水总量。确定可灌溉面积时,应根据实测的灌溉数据。若没有实测数据,也可采用经验数据。根据塔科马市当地的经验,灌溉效率定为 60%。

在 3 座废水处理厂的服务区内,确定了可用回收水灌溉的总面积约为 951 万 m^2 的公园、墓地、高尔夫球场和学校。估计约有 690 万 m^3 的回收水可用来灌溉风景区,这只占处理厂总回收水水量的 15%。因此,对于风景灌溉项目,必需长期储水。须对每个废水处理厂生产的产品进行详细分析,以确保回收水适用于风景区灌溉。

18.5 成本估算

综合考虑 3 个服务区内的工业灌溉用户和风景区灌溉用户,形成了 5 个回收水再利用方案。

方案 1 是把钱伯斯河废水处理厂的回收水供给波依斯喀斯喀特纸厂。估计依斯喀斯喀特纸厂不间断需水量为 1.9 万 m^3/d,几乎是该废水处理厂旱季平均产水量的一半。该方案包括一套处理能力为 1.9 万 m^3/d 的过滤和消毒设备,1 个 9 500m^3 的储水池、抽水设备和配水管道。

方案 2 是在方案 1 的基础上加上可能的灌溉场地。除波依斯喀斯喀特纸厂需要不间断地供应 1.9 m^3/d 回收水外,已确定的灌溉场地在灌溉高峰月 7 月份的需水量为 3.1 万 m^3/d。两者之和比钱伯斯河废水处理厂旱季平均产水量还多。但是,该厂的生产能力预计在未来几年里将增大到 4.12 万 m^3/d。该处理厂设备包括处理能力为 4.9 万 m^3/d 的过滤消毒设备、抽水设备和一个储水池,可为波依斯喀斯喀特提供 0.5d 的补充供水,为灌溉用户提供 1d 的供水。此外,还包括通到波依斯喀斯喀特和各灌溉场地的输水管道。

方案 3 是把回收水供应给中央废水处理厂服务区内已确定的 8 家工矿企业。这 8 家企业要求日平均供水量为 5.8 万 m^3/d。设备包括 1 套过滤和消毒设备、抽水设备、可储存 0.5 d 供水量的水池和通到各企业的管道。

方案 4 是在方案 3 的基础上加上可能的土地灌溉。除已确定的各企业需要连续提供的 5.8 万 m^3/d 外,估计灌溉需水量为 1.3 万 m^3/d,在灌溉高峰月的 7 月份,共计需水 7 万 m^3/d。

方案 5 是将北端废水处理厂的回收水只用于土地灌溉。设备包括 1 套处理能力为 0.3 万 m^3/d 的过滤和消毒设备、抽水设备和一个可储存 1d 灌溉用水量的蓄水池。

18.6 区域经济比较

随着皮吉特海峡地区供水和需水问题的解决,各种可供选择的区域性方案逐渐形成并实现了区域合作,并确保对各种水源工程(供需双方)成本效益比的分析方法是一致的。在对旨在减少需水量、开辟新的供水或推迟开辟新的供水的任何区域性工程进行经济分析时,必须在整个区域内采用相同的分析方法,以便对各种方案进行合理的比较。

该方法是把夏季新水源的平均单位成本作为各方案进行比较的指标。新水源平均单位成本等于新水源成本平均现值除以该水源要求的平均需水指标。把一组变化的年成本或年水量进行平均计算,要求求出同一时期内不变的年成本或水量,以便以相同的贴现率得到相同的现值。

表 18-1 列出了各个方案的估计成本。成本包括所有的基本设施费用、估算的运行与维修费用和重置费用。成本除以年产水量即为每个方案的每立方米水的单位成本现值。然后,将该数字同塔科马市供水公司其他供水方案的单位成本进行比较,定出成本效益率最佳的方案。

方案 1 和方案 3 是只给工业用户供应回收水的方案。在加上灌溉用户时,每万立方米的成本增大,但仍比只提供灌溉用水(例如方案 5)的方案成本低。

3 座废水处理厂都有足够的能力向潜在的用户(灌溉与工业)供应回收水。上述 5 个方案中,在钱伯斯河废水处理厂和中央废水处理厂的服务区内的那些工业用途方案,估计其回收水成本等于或低于 1 316 美元/万 m^3。因此,与其他供水方案相比,该方案值得进一步研究。

尽管方案 1 单位成本比方案 3 低,但方案 3 仍显得最具吸引力。较之其他方案,方案 3 产生的效益大得多,这是因为中央废水

表 18-1　各回收水方案的成本

| | 钱伯斯河废水处理厂 | | 中央废水处理厂 | | 北端废水处理厂 |
	方案 1	方案 2	方案 3	方案 4	方案 5
基本设施成本(美元)	5 939 600	27 367 500	24 672 200	37 382 300	3 832 300
运行与维修成本(美元)	126 800	250 700	297 800	350 600	62 400
同等化年成本(美元)	366 200	1 313 800	1 255 400	1 787 700	217 600
季需水量(万 m³)	350	654	1 063	1 189	8
成本(美元/万 m³)	1 053	2 000	1 184	1 500	27 263

处理厂服务区回收水所节省下来的几乎 100%的饮用水是塔科马市供水公司提供的。在钱伯斯河废水处理厂服务区,塔科马市供水公司并未提供饮用水。为了使塔科马市供水公司获得效益,须用回收水交换井水,再把井水抽入配水系统。

　　把回收水用于灌溉的最大的成本之一是配水管道的成本。北缘服务区的方案 5 似乎是成本效益比最差的方案,这主要是因为要接的输水管道太长,而灌溉用户太少,也没有用水量大的工业用户。

19　加州南部水再利用工程成功的筹资计划
（Ray Mokhtari）

随着开发新供水水源费用的增加，一些用水公司面临着更严格的水质要求以及政治上和环境上的关注，传统的供水规划已发展成同其他方案相结合，包括水回收、联合利用计划和节约用水。回收水在保证加州南部未来可靠供水方面起着重要的作用。

然而，兴建水回收工程受到以下几个方面的制约：管理部门的批准、机构设置、公众的接受以及基建费用和列在首位的运行费用的筹措等。有鉴于此，水行业的许多部门已着手制定、创造新的筹资方案，以保证加利福尼亚州回收水计划的实现。

本文论述了加利福尼亚州水回收的概况、回收水对加州南部的重要性，以及水再利用工程的各种筹资计划，包括加州南部大城市供水区的地方工程计划。

19.1　大城市供水服务区水的再利用

大城市供水区是一家区域性的水批发公司，其服务区面积超过 13 468km²。它把从加州调水工程和科罗拉多河水槽工程引来的水供应给洛杉矶、奥兰治、圣迭戈、里弗赛德、圣贝纳迪诺和文图位等县，供水量约占其用水量的 60%。

为了弥补供水之不足，在大城市供水服务区使用回收水已有许多年了。水回收工程就是对废水进行处理使其达到非饮用水标准，可以安全使用。目前，大城市供水服务区内用于风景区和农业灌溉、地下水回灌，以及商业与工业用途等方面的一部分需水量，系由回收水来满足。

1993 年，63 个工程生产了约 3 亿 m³ 回收水用于大城市服务区地下水回灌、风景区与农业灌溉,以及商业与工业目的。预计到2000年,加州南部水的再利用工程每年可生产 6.5 亿 m^3 回收水,估计其中 2.5 亿 m^3 产自大城市供水区提供资金支持的地方计划工程。

回收水在加州南部最大用途是地下水回灌。地下水回灌是利用回收水最有效的用途,费用比较合适,可以大量使用。此外,可以利用回收水来设置水力屏障,防治海水入侵。

加州南部的高尔夫球场、墓地、校园、公园、街心公园、高速公路绿化等都是用回收水灌溉。回收水在工业上的用途包括发电厂冷却水、锅炉补充水和造纸厂的工艺用水等。加州南部其他的回收水工程包括了一些新的用途,例如高层建筑物内的厕所冲洗和居民区的绿化等。

为了对回收水未来扩大发展的可能性进行探讨,以及确定利用回收水时存在的限制条件和障碍,加利福尼亚州水再利用协会于 1992 年在全州进行了一次调查,调查结果已收入《1993 年调查——未来水再利用的潜力》一书中。

该报告指出,加州全年水回收和再利用总量约为 5 亿 m^3,而加州南部就占了其中 70%左右,在不考虑工程运转状况及其实现的可能性情况下,预计到 2000 年,水回收量每年可达 12 亿 m^3 以上。该调查报告还指出,到 2000 年,大城市供水服务区回收水再利用量将约占全州的 70%。

该调查报告和以前其他研究结果都认为资金筹措是水再利用工程发展的主要制约因素。

19.2 可供选择的资金来源

目前,加州南部水回收工程的资金由美国垦务局从联邦政府、州水回收贷款计划和州周转基金筹措。在地区一级大城市供水服务区通过其地方工程计划已能帮助地方各水回收再利用公司克服财务困难。圣迭戈县水管局也已实施了类似于地方工程计划的筹资计划。

下面将简要地介绍大城市供水服务区范围内各水的再利用公司可以选择的筹资方案。

19.3 州筹资计划

加利福尼亚州水资源管理局水的再利用办公室通过水回收贷款计划和州周转基金计划,对开发扩大供水量、成本有效的水回收工程提供资金援助。

水回收贷款计划目的是通过利用回收水满足加利福尼亚州未来需水要求的一部分。水回收贷款计划资金是根据 1984 年的《清洁水债券法》和 1988 年的《清洁水与水回收债券法》设立的。根据水回收贷款计划,水回收工程的贷款利率为该州最近发行的一般责任债券利率的 50%,全部工程设计和建设费用均可向该基金贷款。

自 1972 年以来,通过清洁水拨款计划,一直为兴建复杂的城市废水处理设施提供资金支持。为了满足美国不断增长的需要,国会于 1987 年重新审定清洁水法,设立州周转基金计划,不仅对废水处理工程提供资金支持,还对农业与雨水排水工程、河口整治工程和水回收工程提供资金支持。政府机构通过州周转基金计划可以获得贷款,利率与水回收贷款计划的利率相同。

截至 1994 年 2 月 1 日,水回收贷款计划和州周转基金计划资金只剩下约 500 万美元和 2 000 万美元。同年 11 月将发行选举人认可的债券,以继续实施这两项计划。

19.4 联邦筹资计划

根据 1992 年颁布的 102—575 号政府法令——《回收水与地下水研究和设施法》,美国垦务局有权参与特殊地点水回收工程建设和研究。根据该法,美国垦务局可以向圣迭戈、洛杉矶和圣约瑟的水回收工程提供25%的规划、设计与施工建设费用。美国垦务局也被授权参与加州南部和圣弗朗西斯科地区水的再利用综合研究,并提供50%的研究费用。此外,该法还授权美国垦务局进行评估研究,确定加利福尼亚州水回收的可能性。

其他联邦筹资来源包括小型水回收工程贷款和农户经营基金。水回收工程贷款是根据1956年84—984号政府法令——《水回收工程法》及其修正案设立的。根据水回收工程贷款规定,位于西部毗邻的17个州和夏威夷州的各个机构,可以获得小型水回收工程建设贷款和(或)拨款。美国垦务局目前正在对水回收工程贷款进行评估,以确定它是按照目前的方式进行管理,还是应重新加以规定。农户经营基金指定用于小社区的农业灌溉。农户经营基金也可向合格的工程提供拨款和(或)贷款。然而,未来是否可获得这些资金还存在问题。

19.5 水再利用金融公司

常规的长期筹资方法包括一般责任债券、收益债券、参与分红国库券等。然而,大多数机构采取拨款、低息贷款和常规筹资相结合的方法来支付其水回收工程费用。

随着全州资金来源越来越少以及对水回收和废水处理的限制越来越严,州政府机构筹资兴建水回收工程的能力将更加有限。鉴于预计从州和联邦政府可以获得的资金将减少,加利福尼亚州水再利用协会(它的任务是促进该州水回收事业的发展)正在通过加利福尼亚州水再利用金融公司制定一个取代常规贷款的方案。

水再利用金融公司是为满足水回收机构的需要而专门安排了第一项也是惟一的一项计划,它通过向市政当局和供水公司提供联合筹资的机会来满足它们资本筹集的需要。它由代表全州公、私实体的董事会管理。水再利用金融公司设有一站式服务部,在这里,各机构可以获得最好的财经和法律咨询。该计划利用适合于每个机构的标准化途径,也向参与者提供进入资本市场的方法,而且是保证每个参与者能够筹集到所需资本的最有效的方法。

19.6　圣迭戈县水管局

圣迭戈县水管局制定了两个回收水筹资计划,即资金援助计划和回收水发展基金。制定这些计划,一是为了解决圣迭戈县水管局所属会员机构的专用筹资需要,二是作为由州与大城市水管区管理的补充筹资项目。

资金援助计划可为编制回收水可行性研究报告、设备计划、总计划和环境影响报告提供 5 万美元的捐款。到目前为止,该计划已向地方各机构提供了 160 多万美元资金援助,用于建设年产约 5 550万 m^3 回收水的几个工程。除了加快回收水的规划进程外,资金援助计划还为当地机构提供担保,从州水回收贷款计划和州周转基金计划获得低息贷款。

回收水发展基金是依照大城市水管区的地方工程计划设立的,其目的是为鼓励地方回收水供应发展进行额外资金奖励。回收水发展基金对于合格的工程,在大城市水管区奖励 1 248 美元/万 m^3 之外,再奖励811 美元/万 m^3。圣迭戈县水管局资金是引入新供水的可避免费用,包括抽水和配水费用,以及提高储存和处理能力的费用。

到目前为止,圣迭戈县水管局已同 6 家地方机构就预计年产 2 835 万 m^3 回收水的几个工程签订了回收水发展基金协议。

回收水发展基金已经是确保地方水回收工程筹资的一个组成部分,预计在未来 20 年内可向各地方机构提供约 1 亿美元的资金。

19.7 大城市水管区的地方工程计划

由于本文的重点是大城市水管区的地方工程计划,所以在下面详细介绍这个计划。

19.7.1 背景

大城市水管区把引进的水批发给它的 27 个会员机构,这些机构再把水零售给加利福尼亚州的 1 500 万居民。大城市水管区预计,到 2010 年,该地区年需水量可能将超过现有可靠供水约 9.8 亿 m³。为了减少这种长期的供水短缺,大城市供水区除了增加供水外,已经制定几套开源节流的奖励计划,例如节水奖励、地下水恢复计划、储水协议和地方工程计划。所有这些计划都是鼓励大城市水管区会员机构建设地方供水工程,更加自力更生地解决供水问题。

在 20 世纪 70 年代后期和 80 年代初期大城市水管区参与了奥兰治县和洛杉矶县水的再利用研究。该项研究就健康影响、销售和资金筹措等方面研究了水再利用的可行性。研究结果表明,水回收的主要制约因素是费用。大城市水管区认为,实施水回收工程将使其整个服务区受益,因为回收水可增加当地供水和提高可靠性。有鉴于此,大城市水管区董事会于 1982 年启动了地方工程计划,以便向水回收工程提供财政支持。

19.7.2 地方工程计划的财政奖励

大城市水管区根据回收水工程的实际供水量,向合格的工程发放奖金。目前,在大城市水管区服务区内每生产和使用 1 万 m³回收水,地方工程计划奖励 1 248 美元。大城市水管区这样做的目的是通过奖励实现直到 2000 年每年能生产回收水 2.5 亿 m³。

参加该计划的地方机构在财务上获得两个好处:

·每使用 1 万 m³ 回收水,获地方工程计划奖励 1 248 美元;

·每使用 1 万 m³ 水,少向大城市水管区支付水处理费 3 121 美元。

1993～1994财政年度,每使用1万 m³ 水的总获益为 4 370 美元。

19.7.3 合格标准

为了取得地方工程计划的奖励资格,一个工程必须满足下列标准:

·该工程生产回收水是为了取代现有的用水需求,或防止为任何有益的用途向大城市水管区提出新的需水要求;

·该工程每天至少生产 12 万 m³ 的可用回收水;

·该工程生产的回收水成本应超过向大城市水管区购买不中断净化水的成本;

·根据《大城市水管区法》和其他适用的法律,该工程一定是可以实现的;

·该工程必须有说明整个工程布置、实施进度、回收水的未来用户、工程造价的设备计划和市场营销分析报告;

·该工程的出资人必须证明有能力获得所有必需的公共卫生许可证和管理许可证;

·该工程必须符合《加利福尼亚州环境质量法》的规定;

·该工程必须得到大城市水管区一个会员机构的支持;

·该工程必须为工程出资人所拥有并由其运营;

·该工程不是已建工程,也不是在建工程。

19.7.4 申请审查过程

当一个拟建工程被提取交给大城市水管区时,地方工程计划工作人员即启动审查程序,审查包括以下步骤:

·地方工程计划工作人员对工程的技术可行性、经济生存能力等方面进行评估;

·如果工程满足合格标准,大城市水管区总经理可批准该工程列入地方工程计划;

·地方工程计划工作人员同工程业主和出资会员机构就实施该工程"合股协议"条件和合同原则进行协商。

19.7.5　现状

目前,地方工程计划包括 36 个水回收工程,最终年产水量约为 2 亿 m^3。其中 26 个工程已投入运行并获得了地方计划的捐款。到 1994 年 1 月止,大城市水管区向生产 1.2 亿 m^3 回收水的各个工程发放地方工程计划奖金约 1 500 万美元。

如果按照目前每 1 万 m^3 奖励 1 248 美元来运作,大城市水管区通过地方工程计划支持水再利用事业在 2000 年将耗费约 3 000 万美元。大城市水管区认识到水回收在加州南部整个水资源发展中的重要性,并致力于支持它的继续发展。

回收水是满足加利福尼亚州目前和未来供水需求的关键因素。鉴于此,水行业的许多单位已着手制定创新的筹资方案,以确保该州水回收计划的实现。

目前,水回收工程建设资金可以通过美国垦务局从联邦政府那里得到,也可从国家水回收贷款计划和州周转基金获得。在地区一级,大城市水管区通过它的地方工程计划已能帮助地方水机构克服资金短缺困难。

地方工程计划的成功实施鼓舞了加利福尼亚州其他水机构考虑实施类似的计划来提高其服务区内回收水的产量,圣迭戈县水管局和圣克拉拉流域水管区是首批启动类似计划的两家单位。

大城市水管区承诺扩大加州南部供水能力。目前,大城市水管区已认识到回收水在增大当地供水方面的重要性,并将继续支持它的发展。